リーダーシップは歴史に学べ

山内昌之

文春新書

1426

リーダーシップは歴史に学べ◎目次

（初出時の見出し、掲載紙誌、掲載日は文末に記載。新書化に際し適宜、加筆等を行った）

序章　ウクライナ戦争と台湾有事――歴史に学ぶリーダーシップと国家の運命

I　歴史とリーダーシップの教訓——歴史家リウィウスとポリュビオスの警告

ウクライナ戦争は、虚構の活劇ではない。日々繰り返される戦闘の真実、複雑にからみあった外交の駆け引き。これらは、現代に生きる人間たちに多くを反省させる歴史の教訓を与えてくれるのではないか。古代ローマの歴史家リウィウスが書いた『ローマ建国以来の歴史』の一節を引くのは、現代人にとっても意味深いことだ。「輝かしい歴史の記念碑に刻まれたあらゆる種類の事績を教訓として見つめることは、歴史を学ぶ上できわめて有意義かつ有益なことである。歴史をたどり、諸君と諸君の国家にとって見習うべきものがあれば、それを選ぶがよい。そして、おぞましく始まり、おぞましく終わったものがあれば、それを避けるがよい」（邦訳1、序言一〇、岩谷智訳）。

確かに、ウクライナ戦争はおぞましく始まった。それがおぞましく終わるのを避けられるかどうかは、先人たちの行為のなかに、手本となる良き先例があれば、それを学ぶ現代人の知恵にかかっている。反面教師となる悪しき例もありながら、斥《しりぞ》けなければ現代未曾有の戦争はおぞましく終わることだろう。人びとは、今後どう振る舞うべきか、より適切に判断するには、リウィウスのように道徳的な意味での歴史の有用性を信じるのも一策であろう（リウィウス邦訳6、安井萠解説参照）。実際に、現代に生きる者たちはリウィウスの描いた人物たちの振る舞いのなかに、ウクライナ戦争の登場人物とその行動が試行錯誤を繰り返すのと同じ人間の迷いを見出せるかもしれない。

かつてローマの歴史家ポリュビオスは、「現実的歴史」を書く者なら、第一にさまざまな歴史書を読みこなし、その内容を比較対照すること、第二に出来事の現場を訪れて実見し、川や港など陸上と海上におよぶ特定の場所と距離を調べること、第三に自ら政治や軍事など国家活動に携わり、その実情を知るべきだと考えた（『歴史』3、一二巻25e、城江良和訳）。こうして、古代では、ペロポンネソス戦争でトラキア方面艦隊を指揮したトゥキジデス（ペリクレスの崇拝者）や、ローマのガリア遠征を成功させたカエサルが世界史屈指の歴史書を自ら叙述したのである。

ポリュビオスの指摘は、理屈だけなら、現代の政治や戦争にもあてはまる。やがて、忌まわしいウクライナ戦争が終わり歴史叙述の季節が訪れるなら、その最適な執筆者は、何と言ってもプーチンとゼレンスキーに違いない。この二人なら、一級の機密文書に接することができただけでなく、自らが最終的に決意を固めた戦争と抗戦の責任者として、軍と戦場の配置状況をいちばん詳しく知っているからだ。もちろん彼らの史家としての文才は、カエサルはもとより後醍醐天皇の重臣で『神皇正統記《じんのうしょうとうき》』を著した北畠親房《きたばたけちかふさ》にもはるかに及ばないであろう。しかし彼らに共通するのは、歴史の材料を探し出す歴史家というよりも、歴史の材料そのものを創り出したリーダーだという点にある。この意味では、ポリュビオスがいう「歴史を書く者」というよりも、歴史を作る者こそプーチンとゼレンスキーにあてはまる表現というべきだろう。

　ロシアとウクライナの歴史家なら、この二人が書く歴史と多少なりとも共通する視角と人物描写にしばらくしばられるかもしれない。ロシア以外の歴史家であれば、プーチンを侵略と暴行の限りを尽くした悪徳の体現者と見なし、祖国侵略の悪逆に敢然と立ちあがった高邁《こうまい》な美徳にあふれる政治家こそゼレンスキーという図式を好む者もいるはずだ。もちろん、歴史は特定の時間と空間において一回的にしか発生せず、時空を超えてまったく同じ事件が発生することはない。まったく同じ性格と能力を持つ人物も時空を超えて生まれない。しかし、別々の歴史の局面に現れたリーダーの個性とリーダーシップの役割には似たところもある。ウクライナ戦争におけるプーチンとゼレンスキーの特性と問題点を考える上で、第二次ポエニ戦争のカンナエの会戦（前二一六）でローマ共和国軍を圧倒したカルタゴのハンニバルと、カルタゴ本国に長駆して起死回生の反撃をしかけ、ザマの戦い（前二〇二）でハンニバルを破ったローマの大スキピオがかりそめの手がかりになるのもそのためなのだ。

　リウィウスによると、ハンニバルの「残虐さはおよそ非人間的で、その欺瞞ぶりはカルタゴ人的不実の水準すら超えていた。彼は真実や神聖さを軽んじ、神を恐れず、誓約をいっさい顧みず、宗教的畏怖心など持ち合わせていなかった」。そして、住民虐殺や都市略奪など「貪欲と残虐に突き進む気質」の持ち主なのであった。ローマ人史家によれば、ハンニバルのリーダーシップは常に邪悪と結びついていた。

　他方、リウィウスの描く大スキピオは、ほとんど完璧なローマ市民であり、祖国救済の英雄として描写される。豪胆・武勇・規律に照らして申し分のない英雄であり、親孝行・敬神・親切・寛容にあふれた模範的な市民にほかならない。もちろん、リウィウスは大スキピオのリーダーシップをすべて模範的に評価したわけでもない。彼もハンニバル流の狡猾な作戦を辞さず、アフリカでは和平に応じるふりをして作戦に必要な情報収集を怠らなかった。要するに、当時のローマ人の許容範囲内だったとはいえ、大スキピオのアフリカ遠征への動機にはゆきすぎた野心も含まれていたというのである（安井萠解説）。

リウィウスも認めるように、ハンニバルは悪徳、大スキピオは美徳の体現者という単純な区分で歴史を解釈できるわけでもない。そして、いまのプーチンとゼレンスキーを比較しても、古代のリーダー以上に、現代の二人を悪徳と美徳という点で截然《せつぜん》と分けるのはむずかしい。ここに文学と異なる歴史学のむずかしさがある。さしあたり言えるのは、現代のウクライナ戦争を考えるうえで、歴史とリーダーシップの教訓がいかなる対比と類推を可能にするのかということだ。

Ⅱ 「盾を構えたとき以外は無敵の男」――プーチンとクラッスス

戦争は始めるよりも終わらせる方がむずかしい。プーチン・ロシア大統領は、ウクライナ戦争を、四日で終わった二〇一四年のクリミア占領や一九六七年の六日戦争（第三次中東戦争）くらいの短期で終わると確信していたはずだ。ましてや自分が戦争犯罪の容疑で国際刑事裁判所から逮捕状を出されるとは思わなかったに違いない。実際には、戦争はすでに一年半以上も続いている。ウクライナのほぼ二〇％はロシアに占領されたままであり、八〇〇～九六五キロメートルの前線に沿ってロシア軍の塹壕《ざんごう》がはりめぐらされている。

一九八〇年に始まったイラン・イラク戦争は、八年に及ぶ消耗戦になった。他方、一九九一年の湾岸戦争は約一カ月で終わる。二〇〇三年のイラク戦争も、ブッシュ大統領の戦争終結宣言でいえば二カ月ほどで終結した。しかしウクライナ戦争は消耗戦と長期戦の様相を示している。プーチンの基本戦略は、もはやキーウやハルキウの占領やゼレンスキー政権転覆にあるのではなく、ウクライナの国家的アイデンティティの消滅を図るほどの大胆さにこだわっているわけでもない。ウクライナの方も、二〇二三年六月に始まった反転攻勢は狙ったほどのスピードで進んでいない。

言い換えると、戦局は、二〇二三年七月下旬現在、やや静かな膠着《こうちゃく》と均衡の様相を呈しているかに思える。現状はどちらにとっても、ウィンストン・チャーチルの言葉をもじるなら、悲観主義者ならあらゆる機会の中に問題を見いだし、楽観主義者ならあらゆる問題の中に機会を見いだせる局面とでも言えようか。

消耗戦の長期化で利益を得るのはプーチンの方であろう。一年間に夥《おびただ》しい兵器と兵員を失ったとはいえ、ロシアにはボリシェヴィキ革命と第二次世界大戦を通して培《つちか》われた人権と法の支配を無視する悪しき伝統がある。正規兵から民間軍事会社ワグネルに徴募した受刑者に至るまで、無謀な軍事作戦に人員をいくらでも犠牲をためらわず投入するプーチンの手法は、スターリンと同じである。二人は、戦争が失敗や敗戦に終わるなら、自分の政権と権力基盤が崩壊することを知っていた。二人が戦争の長期化で米国のルーズベルト大統領や中国の習近平《シージンピン》主席に助けを求めたのは「戦争が続くこと」にとりあえず自分たちの生命がかかっていることを痛感していたからだ。まだしもスターリンの時代なら、ナチス・ドイツと「戦い続けること」でドイツを非ナチ化し非軍事化することが、ロシアだけでなく欧米にも必要だと説明することもできた。しかし、プーチンのいうウクライナの非ナチ化や非軍事化を戦争目的として受け入れる人びとは、もはやロシア人の間でも多数とはいえない。

必要なら国民や兵士の膨大な犠牲もいとわぬ覚悟は、第二次世界大戦（大祖国戦争）中に赤軍のジューコフ元帥も得意としたが、プーチンが指揮すれば人命を失うばかりで戦略的成果もまず収められない。六月のドニプロ川にあるカホフカ水力発電所のダム決壊と洪水は、その意図がウクライナ軍の東岸渡河の阻止にあったにせよ、これまでのキーウやハルキウなど大都会への無差別ミサイル攻撃、バフムト攻防戦などのように、ジュネーヴ条約違反をものともせぬ野蛮な作戦である。

これらは、スターリンやジューコフの時代であればいざしらず、現代では欧米や日本など民主主義社会から厳しく批判され、ロシアの文化性や芸術性への尊敬心や信頼度まで損なう暴挙にほかならない。「兵は凶器であり、やむをえない時にのみ用いるものだ」と自戒したのは、唐の太宗・李《り》世民《せいみん》である。後漢の光武帝は「兵を一度動員するごとに頭髪が真っ白になる」と述懐したことがある。プーチンの同盟者・習近平なら、古来いたずらに兵をもてあそんだ者は全滅したという太宗の戒めを知っているはずだ。プーチンは、さながら前秦の苻《ふ》堅《けん》のように、東晋を併合しようと兵を挙げたのに、淝水《ひすい》の戦いで大敗し逆に滅んでしまった先例を知らないだろう。隋の煬帝《ようだい》も高句麗侵略を何度も企てながら、徴兵を受けた人民の恨みを買い、匹夫《ひっぷ》に殺されてしまった。プーチンは、「あにたやすくすなわち兵を発するを得んや」という太宗の警句を聞いたこともないのだろうか（『貞観政要《じょうがんせいよう》』守屋洋訳）。軽々しく兵を動員するなど、もってのほかである、と。

　プーチンを見ると、古代イランにあった大国パルティアの征服を朝飯前と見くびって不名誉の死を遂げたローマのクラッスス（カエサルら三頭政治家の一人）を想い出す。「盾を構えたとき以外は無敵の男」の権力欲と名誉欲に引きずられたローマ人は何の利益も得られず、祖国も不運な目に遭った（プルタルコス『英雄伝』4、柳沼重剛訳）。この姿はプーチンとそのまま重なるかのようだ。蓄財術にたけた二人は、驚くほど戦下手な点でも共通している。クラッススに輪をかけて戦下手のプーチンは、〝凍結された戦闘〟と誰かが名付けた持久戦をひたすら維持できればよいと肚《はら》をくった形跡がある。欧米がウクライナに武器と援助物資を送り続ける忍耐力も萎《な》え、政治的意志力を弱まらせた結果、ロシアの戦は負けでないと国民を納得させられたなら上々吉ということなのだろう。

プーチンの戦下手は、「プリゴジンの乱」（二〇二三年六月）への対処でも露呈した。かつてのヒトラーのエス・エス（親衛隊）やイランのハメネイ最高指導者の革命防衛隊のように、正規の国防軍機構から自立した独裁者の権力維持装置こそワグネルだったはずだ。軍作戦の攻勢から防御、積極性から受動性への変化に伴い、エリート間の対立が表に露出し、大統領独裁体制の隙間にあった楔《くさび》がきしみを立てて毀《こわ》れる結果をもたらした。プリゴジンの乱は、長期的に見ればプーチン独裁体制を弱体化から解体へ向かわせるモメントとなり、ウクライナのゼレンスキー政権の耐久力を増す事変となった。ベラルーシの首都ミンスクに逃れたプリゴジンも、もはやプーチンとの相互依存によって権力の蜜を吸い続ける旨味を失った。民間軍事会社のワグネルと創設者のプリゴジンは、メディアやケータリング・サービスだけでなく、リビアを拠点としてサハラ以南のアフリカに傭兵網を広げていた。プリゴジンの部隊がはじめウクライナに入ったとき、ウクライナ当局はハリーファ・ハフタル大将の率いるリビア国民軍（LNA）の兵士たちがプーチンによって派遣されたと非難したものだ。実は、これは、二〇一九年以来LNAを訓練しその傭兵にもなったワグネルの投入を誤解したものであった（Biancamaria Vallortigara, “Mercenary Fighters in Libya and Ukraine,” *Beehive*, X-5, 2022）。

権力の眩しさと金の輝きに目のくらんだプーチンとプリゴジンとの仲たがいは、「主となりて貪《むさぼ》れば、必ずその国を喪《ほろ》ぼし、臣となりて貪れば、必ずその身を亡ぼす」という『貞観政要』にある唐の太宗の言葉を連想させないだろうか。プリゴジンの乱は、プーチンの戦争を何とかしてロシア国民の戦争もしくは祖国防衛戦争の装いにして化かそうとしたプーチンの思惑をだいなしにすることになった。そのうえプリゴジンは、ウクライナ諜報機関筋に接触して、ロシア軍本隊の配置と移動を教えるかわりに、ワグネル部隊への攻撃を一時停止するように頼んだと囁《ささや》かれている。米国諜報筋から漏れた情報が本当だとすれば、プリゴジンは、二三年八月二三日に死亡したが、六月以前からプーチンを裏切っていたことになる（*Washington Post*, 6-6-2023、電子版、以下同じ）。

Ⅲ　ピュロスの勝利――ゼレンスキーはファビウスか、大スキピオか

さて、欧米の識者は、ウクライナのゼレンスキー大統領を古代アテナイ（アテネ）の民主主義守護者のペリクレスとよく比較しがちである。ロシアの専制独裁から自由欧州を守る盾になっているというのだ。しかし、ペリクレス時代のアテナイは繁栄の絶頂期にあったのに、ウクライナのＧＤＰはロシアの約一〇分の一にすぎない。ゼレンスキーは、クリミア喪失後の国力弱体期にウクライナの衰退する国政を引き受けた。むしろ彼は、古代ローマで粘り強くカルタゴ侵略軍に抵抗したファビウスと比較すべきかもしれない。あえて比較すれば、ゼレンスキーの方がファビウスよりも戦上手に見えてくる。ハンニバル将軍との決戦を避けたファビウスと違い、ゼレンスキーは国民の士気を高め東部ドネツク州の要地バフムトの攻防戦からも逃げなかった。

　ゼレンスキーは、戦争を膠着化させ無限に引き延ばすかに見える〝恐露病〟のバイデン大統領ら欧米首脳に不満を隠さなかった。彼によれば、戦争が長引くほど復興費も高くつき、難民の戻るべき職場・産業も少なくなる。ウクライナへの有償援助の支払額は、時間

が経つにしたがい巨額の債務となるはずだが、欧米政府はもとより、メディアもこの件について議論しようとしない。ゼレンスキーは、プーチンに休戦と講和を受容させるには、大スキピオがザマの戦い（前二〇二年）でハンニバルを破ってカルタゴ国家を降伏させたような短期で目を瞠《みは》る戦果が必要だと信じているようだ。むしろ膠着した戦況下で、攻める側のプーチンは逆にファビウスの「負けない」という戦略に近づいている。ゼレンスキーと彼の将軍たちは、ウクライナが「勝てる」ことを示すザマの戦いの現代版が必要なのだ。大スキピオのザマ作戦とその戦捷《せんしょう》こそゼレンスキーの戦略目標になるだろう。

　しかし、ザマ型の勝利を得るには彼の本来嫌う戦争の長期化も覚悟せねばならず、欧米の支援疲れを増すに違いない。ここで双方の戦争目的が改めて問われる。ゼレンスキーにとり祖国防衛戦争での敵撃退はナショナリズムの神話となるが、ＮＡＴＯとＥＵ加盟をロシアに認めさせる以外の政治的成果を得る可能性は低い。ゼレンスキーが本当に二〇二二年以前にロシアに取られたクリミア・東部二州（新たに占領中の州を含めれば四州）もすべて奪還する気なら、イラン・イラク戦争くらいの時間でも足りないかもしれない。とくにクリミア奪還には、時に永久築城をほどこしたロシアの堅固な防禦《ぼうぎょ》線を突破するだけでなく、ロシアのウクライナ占領軍全体の殲滅《せんめつ》まで必要とする。少なくともクリミア奪還には、ロシアからドンバス（東部二州）を経てクリミアに通じるランドブリッジ（陸橋）をまず遮断する必要があり、次いで半島とロシアを結ぶケルチ海峡大橋を破壊するのが不可欠である。しかし、それはロシアが認められないレッドラインに近づくことを意味する。最悪の場合は、核兵器使用の可能性が高まるのである。

こうなると、プーチンは反核の国際世論などを意に介さず、自らの条件に固執して徹底抗戦する覚悟を決めるか、かりにも旧ソ連の時代のような核兵器の相互確証破壊の記憶をよみがえらせ妥協を図るかもしれない。しかし、ウクライナは非核保有国であり、ロシアの核使用を抑制する手立てに乏しい。もっとも、過去にもクリミア戦争や日露戦争のように戦争終結をはかったり、第一次世界大戦のブレスト・リトーフスク条約のようなドイツなどとの単独講和やアフガニスタン侵攻の不名誉な撤退などを認めたりした例もなくはない。継戦か講和か、いずれかを選ぶのは決して簡単ではない。戦争を継続しても、講和を図っても、プーチンの政治生命は弱まるだけでなく、風前のともしびとなるのは必至であり、最悪の場合は生命そのものの喪失に直面するかもしれない。

ひるがえってウクライナには、ロシア以上に徹底抗戦を継続する基礎体力はあるだろうか。ロシア国民にとっては嘘と非義で固めた戦争から得るものは何もない。ロシアはこの戦争が招く国力の衰退と国威の凋落《ちょうらく》を名誉のとばりで覆い隠す必要がある。プーチンが譲れないのは、最低でもクリミア・東部二州の維持であろう。二二年二月の侵攻以前の境界線での休戦ということだ。ウクライナがこの線を越えてロシアから全占領地を取り返そうとするなら、ロシアには妥協はありえない。ロシアはウクライナによるクリミアの奪還と再統合をレッドラインの本筋として設定するはずだ。ここで初めて戦術核の使用可能性を現実的な作戦の俎上《そじょう》にのせるかもしれない。しかしプーチンといえども「歴史への畏《おそ》れ」を否定するのは容易ではないだろう。ゼレンスキーもプーチンも、クリミアはともかく東部二州も含めた相当に広い領域を相手に委ねて講和するのは、〝悪魔のシナリオ〟あるいは〝呪いのシナリオ〟の受け入れにほかならず、妥協しがたい政治選択であろう。

　侵略されたウクライナにとって遺憾ながら、戦争が長くなれば個々の軍事状況では勝利を収めても、政軍的には「ピュロスの勝利」となるおそれがある。これは戦場での損害があまりにも大きいために、実際に貸借勘定で得るものがあまりにも少ない勝利のことだ。前三世紀のエペイロス王ピュロスは、各大国相手に勝利を収めたが、「もう一度ローマ軍と戦って、仮にこっちが勝ったとしても、そのときわれわれは全滅するだろう」と悲観論を隠さなかった（『英雄伝』3）。ハンニバルは、最高の将軍として、第一にピュロス、第二に大スキピオ、第三に自分を挙げたほどである。もっともこれには異説もあり、第一にアレクサンドロス大王、第二にピュロス、第三に自分を挙げたともいう（ゴールズワーシー『古代ローマ名将列伝』、阪本浩訳）。

結局のところ、戦争も政治の延長である限り、どこかで妥協を図らなくてはならない。最近、プリゴジンの乱が起きる前に、米国ＣＩＡのウィリアム・バーンズ長官がキーウを訪れた時、ウクライナ政府は秋までに占領地の大部分を奪還し、各種大砲とミサイル防衛システムをクリミアとの境界付近まで進出させ、東部でも領土を奪還して休戦交渉に持ち込むという野心的な政治プランを示したという（*Washington Post*, 30-6-2023）。しかし問題は、歴史をひもとけば、こうした反転攻勢がただちに政治的に効を奏するか否かについて、誰も楽観的に語れないところにあるのではないか。

Ⅳ　台湾とウクライナは二者択一か——安全保障関連三文書の意味

江戸時代によく読まれた『太平記秘伝理《り》尽鈔《じんしょう》』は、日本と外国の事件の是非を議論して、後世のいましめとすべきと主張した書物である。こうした先人の知恵に忠実に、プーチンの愚挙とウクライナの善戦から思い切った教訓を得た国の一つは日本であろう。ことに二〇二二年一二月に安全保障関連三文書（「国家安全保障戦略」「国家防衛戦略」「防衛力整備計画」）が閣議決定されたのは、日本の安全保障環境の急速な歴史的変動を無視しては考えられない。また、二〇二三年三月に戦時徴用工問題や対韓貿易制限措置による緊張を低減する努力がなされたことをはじめとして日韓首脳会談の実現、その後の日韓外交関係の好転は、ユーラシアの西部ではウクライナ戦争が起き、東部では北朝鮮の核脅威や中国による台湾有事の危険性が高まる現在、民主的価値観を基本的に共有する日米韓三カ国が安全保障の領域で共同歩調をとるべきユーラシア戦略に不可欠の条件であった。

米国の共和党議員のなかには、台湾防衛を優先するために、ウクライナ支援を削るべきだと考える政治家もいる。しかし、これは間違っているのではないか。台湾の指導者も言うように、台湾の安全は米国の強固なウクライナ支援の意志持続にかかっているからだ。米国やEUがウクライナを見捨てるなら、それは米欧が台湾の放棄もやむなしと考えているというメッセージをロシアや中国に送ることにもなりかねない。それは、とくに中国の術策にはまることを意味する。誤解すべきでないのは、米欧や日本が台湾に関心を抱くのは、「台湾の独立を守る」ためでなく、「台湾の民主主義を守る」ためである。これまで世界は、中国が香港市民の民主主義的反対派、新疆ウイグルやチベットの自治区民族の自決権の自由な意志を踏みにじるのを見て見ぬふりをしてきた。しかし台湾は、現実に中国の内政に組み込まれている地域ではない。むしろ、現実的に自由と民主主義を享受し世界の市場や気候温暖化やコロナ問題でも独自の取り組みをしてきた。この独特な「地域」が守ってきた民主主義的価値観の意義を尊重すべきである。台湾は、民主主義の堡塁《ほうるい》でもあり、米国が事実上の同盟の継続となる「台湾関係法」を制定し、日本が日本台湾交流協会を設置して適切かつ特別な関係を維持しているのも故ないことではない。

そもそも中国が台湾侵攻に際して重視する要因は、ウクライナの未来ではなくアジアの軍事バランスなのである。台湾を優先するあまりウクライナを無視するのは、或る米国シンクタンク所長の表現を借りるなら、「燃えている家の鎮火に努めるよりも、燃えていない家の前に消防車を停めて将来の火災に備えるべきだ」と主張するようなものだ（*Washington Post*, 10–5–2023）。

台湾は長いこと法の支配による自由と民主主義の模範的な実践者であり、普通選挙による政権交代が平和裡に行われてきた。そして、自由と民主主義を基本的価値観として共有する「地域」として、その中国への統合は、台湾人の理解と同意による営みであるべきなのである。民主化された台湾は、半導体技術などで世界をリードしており、各種部品のグローバルサプライチェーンの重要な環である。中国も同じ利益を共有するはずだ。台湾有事が発生すれば、中国の市場価値と部品調達網も大きな損害を受ける危険性は、ロシアの教訓が示す通りである。その際、日本は最重要の地域当事国として、ウクライナ問題における欧米のように、東アジアの安全保障と人権と法の支配をめぐる行動原理と規範について世界に発信せねばならない。

二〇二三年五月のＧ７広島サミット首脳宣言は、ウクライナ支援の継続・強化と並んで、中国についても、東シナ海や南シナ海の状況に深刻な懸念を表明し、力や威圧によるいかなる一方的な現状変更の試みにも強く反対すると、日本の立場を明確に取り入れた。台湾海峡の平和と安定の重要性を改めて確認し、問題の平和的な解決を促した。これも、あくまでもウクライナ問題との優劣をつけていない。

中国は台湾相手の作戦を四日から六日あたりで決着がつく小戦争と見ているらしいが、台湾の政治と軍事が見せている断固とした決意、日米という信頼できる民主主義国家の柔軟な姿勢と対応性、台湾自らの軍民両面における半導体技術の独創的な創意工夫を無視できない。ウクライナの教訓を踏まえた米国の台湾への有償軍事援助二〇〇億ドル（未処理）の実施意欲なども無視すべきでない。また、中国の呉江浩《ウージャンハオ》新駐日大使は、最初の記者会見で、日中関係が「重大な岐路に立っている」と主張したのはともかく、「台湾有事は日本有事」との認識を「中国の内政問題を日本の安全保障と結びつけることだ」と、日本を批判したのは問題ではないか。大使は「日本の民衆が火の中に連れ込まれることになる」と牽制したが、日本の世論から強い反発を受けたのは当然であろう（『読売新聞』四月二九日付朝刊）。

日本政府は、「国家安全保障戦略」の核はあくまでも外交であると説明している。台湾有事は中国の内政だけにとどまらず、ウクライナ戦争のように周辺にも大きな衝撃を与える戦争となる。これこそ中国の成長と繁栄を逆戻りさせるピュロスの勝利にしかならないことを歴史が証明することになろう。

（ウクライナ戦争：読売新聞「地球を読む」二〇二三年三月二六日付を基に書き下ろし）

第一章　指導者の条件

指導者に必要な十の条件

政治家は道徳家ではない。それにしても、最近の日本政治を見ていると、国会議員のなかには徳目とまでいかなくても社会常識を欠いた人物が多いのではないか。もっとも、歴史的なリーダー論でも、現代にそのまま通用しそうにもない指摘もある。例えば、トルコ人の一賢人が、指揮官には動物の性質のうち一〇種類が必要だと述べた資質はどうだろうか。

①獅子の勇猛さ、②猪の突進性、③狐《きつね》の敏捷《びんしょう》さ、④負傷した犬の忍耐強さ、⑤狼の略奪性、⑥鶴の用心深さ、⑦雄鶏《おんどり》の寛容さ、⑧雛《ひな》への牝鶏《めんどり》の情愛、⑨鴉《からす》の警戒心、⑩タァルンの肥満ぶり。タァルンとはイラン北東部に住む四つ足の動物であり、旅に出るか苦労すると肥満するたちらしい（イブン・アッティクタカー『アルファフリー』1、一章）。二七〇年続いた徳川将軍家でも十の条件を満たす者は、初代の家康を別格とすれば吉宗くらいであろうか。

八代将軍吉宗は軍事演習としての狩に出たとき、「部隊」を指揮する技量と部下の統率力において群を抜いていた。享保二（一七一七）年の初狩で向島付近に出た折の、①や②を思わせる鮮やかな統率力に言及した史料もある。馬上の采配で数千の人数を下知する一方、「又ある時は単騎にて諸番の隊に乗込給ひ、御みづから番士を指揮し給ひ、しかじかの旨を番頭に申すべしなど宣《のたま》ひし事もありき」。また、享保一〇年の小金原での鹿狩では、猛進してきた野猪の額の真中をひたと一打で倒したのは有名だ。まさに、②をもって②を制したともいえよう（『有徳院殿御《うとくいんでんご》実紀《じつき》附録』巻十三）。

吉宗は新井白石の雅《みやび》やかな儀礼や政策は否定しても、正徳新例（国際貿易額を制限する法令）のように、日本からの無制限の金銀貨流出を妨げる白石の意図を国益にかなうと見るや、ためらわずに採用した。両者をよく知る儒学者、室鳩巣《むろきゅうそう》はこの二人が互いを意識しながら、白石が吉宗について「吝嗇《りんしょく》（けち）も度を過ぎると、贅沢《ぜいたく》と同じことだ」と皮肉を言えば（『兼山秘策』三、享保元年十二月廿四日来書）、吉宗が白石を「見かけを飾りすぎる」と厳しく評し、この人材を活用しなかったことを惜しんでいる（『兼山秘策』六、享保八年正月廿五日青地礼幹書）。

しかし吉宗は、白石の正徳新例により排除された結果、近海で不法行為を働く「唐船」の打ち払いを視野に入れた家継（七代将軍）政権、つまり白石の方針をそのまま継承する懐の深さを見せた（『享保通鑑』三）。清朝の統制に服さず日本近海に出没して抜荷や海賊まがいの行為を働く「唐船」を、「鉄砲にても討ちかけ苦しからず候」と実力行使を命じた。これは、①と②の資質の発露であろう。他方この問題で、かつて日清をまたにかけた元抜荷の首魁《しゅかい》・金右衛門を囮《おとり》に使った幕府と小倉藩の創意工夫は、吉宗のリーダーシップのうち④と⑥の要素が生かされたからともいえよう（松尾晋一『江戸幕府と国防』）。

これと比べるなら、略奪性や肥満は、昔も今も政治家には必要のない条件ではないだろうか。

（指導者に必要な10条件：産経新聞「歴史の交差点」二〇一九年一二月三〇日付）

政治家の四つの類型

どの世界の歴史でも中庸を賛美しない人はいない。正しい行為であっても極端に走るのは、政治だけでなく日常生活でも鬱陶《うっとう》しいものだ。

確かに、「必要以上に賢くなるなかれ。ほどよく賢くなれ」というモンテーニュの好きな言葉は、日本人の耳にも心地よく響く（『エセー』30章）。しかし、穏やかで中庸を弁《わきま》えた人びとを世の中に求める難しさは、すでに孔子も『論語』（金谷治訳注）で指摘していた。

　この「中行《ちゅうこう》」、つまり中庸の人を見つけられない場合はどうなるか。ここで孔子は、せめて「狂者《きょうしゃ》」か「狷者《けんしゃ》」に頼れというのである。

「狂者は進みて取り、狷者は為《な》さざる所あり」。現代人が字面《じづら》から連想する意味とは違い、この場合の「狂」とは積極進取くらい、「狷」は慎重でひきこみがちの意味ではないか。そこで、この文章の意味は、「狂」の人は大志を抱きながら進んで求めるし、「狷」の人は節義を守って出過ぎた振る舞いをしないというのだろう。

　孟子の解釈によれば、政治の指導者になるほどの人物は、①中行つまり理想の存在として中庸を保つ人物、②「狂者」すなわち元気がよく志も言語表現も大きな人物、③「狷者」という、不義の行為を恥じて実行しない潔癖な人物。この順番に位置づけが低くなるようだ。

　しかし実は、この下に④として郷原《きょうげん》がある。郷原とは、郷（村）の君子であるが、汚れた世の中と調子を合わせ、いかにも廉潔な人間らしく振る舞う。そこで世間の人たちもみな好意をもち、自分もそれで良いと信じる人びとのことだ。

孔子は郷原を正しい徳を損なう偽善者だと手厳しく批判した。つまり、自分の本心を隠して誰からも評判が良くなるように世間を欺くからである。

この四つの類型は、江戸時代でもしばしば人間評価の基準として用いられた。水戸学の大家、藤田東湖や長州の尊王攘夷論者、吉田松陰は、一見とくに似ている中行と郷原との違いに注意を促した。

本当の中行は剛なるべき時は剛、柔なるべき時は柔になど、当然の理にかなう者をいうが、一郷できちんとしていても一国家の規模に通用するとはかぎらない郷原とは違うのだ。見かけは、「狂者」や「狷者」より優れていそうであり、行いには批判されるべき要素もなく、廉潔がましい。そこで世間はだまされ、自分もひとかどの人物だと思い込む。とんでもない話だと東湖はいきまくのである。

東湖は政治でも「狂者」や「狷者」には逢《あ》いがたく、郷原の勢力が強いというのだ。郷原が政治に際立つことはなく、少しずつ良い人を用い、少しずつ良いこともするので、世間も自分も善政を施しているかのように錯覚する（『壬辰《じんしん》封事』）。

こうした巧言令色と贔屓《ひいき》人事の風がはびこるのは、儒教道徳の欠陥というよりも政治家の本質に関わることだ。変わらぬ政治の特性を現代人はどう見るべきなのだろうか。

（政治家の４つの類型：産経新聞「歴史の交差点」二〇二一年三月二九日付）

三つの「政体」――独裁政・寡頭政・民主政

英語の「ポリティー（政体）」の語源とされる「ポリーティアー」とは、もともとギリシャ史で都市国家の働きを統御する政体の形態を意味したらしい。とくに三つのポリーティアーが知られている。独裁政と寡《か》頭《とう》政と民主政である。

その代表的な国家といえば、現在の中東の中心と周縁に存在していた。古代ローマ時代のギリシャ人歴史家、プルタルコスの表現を借りるなら、ペルシャ（イラン）人は責任を問われない君主の独裁政を選び取り、スパルタ人は度し難い貴族の寡頭政を選択し、アテナイ（アテネ）人は混じり気なしの自治の民主政を受け入れたというのだ。

プルタルコスは、それらが逸脱すれば、僭主《せんしゅ》、門閥、衆愚の名がつけられると述べた。「独裁君主政ではその無責任さが暴力を、寡頭政ではその図々《ずうずう》しさが横柄さを、民主政ではその平等が無秩序をそれぞれ生み出す」と（『モラリア』９）。いずれにしても、これらの三つは、思慮分別の欠如があれこれの極端さを生み出すときに発生する。

おそらく現代世界の中東以上に、このポリーティアーの秩序と無秩序の多様性を示している地域はないだろう。独裁政とその変型なら、君主制と共和制を問わずアラブのほとんどの国で見られた政体である。寡頭政はホメイニによる法学者の統治理論を墨守するウラマー（宗教者）のエリート集団が君臨するイランに通じるものがある。中東で貴重な民主政の実験と試行錯誤を繰り返してきた国として、トルコを挙げることに異存はあるまい。留保付きながら、そこにチュニジアとモロッコも入るかもしれない。

ただし、古代でも混じり気なしの民主政は、ポリーティアーの一つとして見なされない場合もあったという。それはむしろ多種多様なポリーティアーの「百貨市場」のごときものだったからだ。それは、誰でも好き勝手に発言することはできても、必ずしも責任を伴わない。イスラエルは中東唯一の民主主義国家と自称するが、（二〇一九年）四月の総選挙でネタニヤフ首相は、極右ナショナリストの故メイル・カハネの信奉者たちとも協力する。民主政も時として「百貨市場」にすぎないことを露呈する例といえないだろうか。

他方、現代イランの政治はいつもエリート集団の営みであり、最高指導者ハメネイといえども、独裁者や僭主のような絶対権力を行使できない。最近（二〇一九年二月）、辞職騒ぎを演じたザリフ外相もエリート集団の一員であり、法学者の統治というイランの政教一致体制を国際的に認知させる上で、国連大使や外相として約二〇年にわたり重要な役割を果たしてきた。外相辞任を引き留めた一人がシリアの実戦部隊を指揮する革命防衛隊司令官のスレイマニだったのは、エリート集団の左右対立を超えた共同体意識を示唆するといえよう。

プルタルコスの「図々しさと横柄さ」という表現は、いかにもイランの宗教者の特性をついているのではないか。

（3つの「政体」：産経新聞「歴史の交差点」二〇一九年三月一八日付）

恐怖に克つ「危機のリーダー」の鉄則

世界人類の多くは、自分が健康であることを前提に日々を過ごしている。しかし現実には、病《やまい》と無縁に生きることはできない。とくに医学的に合理的分析が発達していなかった古代や中世においては、病は死の恐怖そのものとまさしく重なっていた。

新型コロナウイルス禍《か》は、自他の感染について十分に自覚できないという点で、人びとを脅《おびや》かす恐怖感が深刻な病といってよい。感染者の一部が無症状ということは、無自覚に他人に移す危険性に責任を感じないということだ。したがって誰でもできる措置《そち》として、マスクで人から移されない防御をするのは当然であり、自分が移さない努力をするのは義務的であるにもかかわらず、それを怠《おこた》る人が多かったのは残念である。いまでも朝晩の散歩やジョギングで飛沫《ひまつ》を飛ばしたり荒い呼吸をするランナーに出会うが、彼らはこの病気の恐怖の度合いをまったく理解していない。

日本に滞在しながらマスクの効用を文化や生活慣習の相違から十分に理解できない外国人家族も少なからずみかける。ヨーロッパでも中世のペスト、近世のコレラを経験しているはずなのに、その鈍感なメンタリティや思考回路についてぜひ調べてほしいものである。罹《かか》れば自分の意志と関係なく、子どもの生命すら左右される危険性がある。その本質は恐怖なのだ。現代医学でさえいまだに有効な対症療法やワクチンを開発しきれていないウイルスなのだから、私たちがまず直感的な恐怖の念を抱いたのは、歴史的経験としても当然であろう。

後期ルネサンスから近世初期に名を遺《のこ》したフランスの文筆家モンテーニュは、『エセー』で恐怖について論じている。恐怖と死は似て非なるものだ。恐怖はときとして死よりもはるかに厄介《やっかい》で我慢できないものである。モンテーニュによれば、敵に対してひどく怖気《おじけ》づいてしまうと、そうした兵士たちに、敵をまともに拝《おが》ませることもむずかしくなる。この伝でいえば、二カ月間にわたり勤勉な日本人が家に逼塞《ひっそく》してテレワークや、職種に応じてオンライン会議や授業をしたのは、まず精神的に感染の恐怖から逃れるうえで大きな意味があった。夫婦や家族が一緒にいられるというのは、恐怖を克服して精神を安定させるうえで、何にも勝る環境だと前向きに理解できるだろうか。ここにもコロナ禍克服のカギが潜んでいる。

　こうして恐怖は、私たちの行動や考え方を正常かつ普段の状態から狂わせる。新型コロナは自分が感染者か否かを自ら確認する術《すべ》はなく、今回とくに初期の局面では、不安恐怖による眩暈《めまい》を感じた人もいるはずだ。誰が感染者かわからない。そんな倒錯《とうさく》的な現象が人びとの恐怖をさらに煽《あお》ったのである。その扇動者の一部には、医療関係者を自称する人びとや無責任なテレビ・コメンテーターも含まれる。

　そんな厄介な感染症に対して、私たちは克服への誓いを立てなければならない。新型コロナがいかなる病かを解明する真面目な専門家の努力は尊敬に値する。私たちも彼らを信頼しなくてはならない。あわせて問われているのが、社会としていかにこの非常時と向き合うかだ。とくに検討を要するのが、危機のリーダーシップの在り方であろう。現にコロナ禍では安倍晋三首相からドイツのメルケル首相、米ニューヨーク州のクオモ知事まで、東西の指導者の是非について語られた。また、ニュージーランドのアーダーン首相のように日本では知名度の低い女性政治家のリーダーシップの強さもあらためて痛感させられた。

危機のリーダーが果たすべき最大の役割を一言でいえば、それは人びとの恐怖心や狼狽《ろうばい》、動揺を鎮めることである。そのためには、為政者であれば三つのメッセージを国民あるいは市民に送らなければならない。すなわち、歴史の安全な進路に関わる文明論的に巨大なメッセージ、都市と農漁村と森林の衛生環境を整備する具体的なメッセージ、そして市民生活者の保健衛生、日常生活や職業による経済活動を保証する個別の安心安全メッセージである。この三つのメッセージを総合的に組み合わせられるか否かが、その指導者が危機のリーダーシップを備えているかどうかの試金石となる。

指導者はときに歴史家になれ

文明論的に巨大なメッセージというのは、リーダーが目の前の出来事を現象として的確に分析するだけでなく、歴史の文脈のなかでコロナ禍の本質を位置付けたうえで、恐怖にかられた人びとの不安を和《やわ》らげるものだ。

たとえば、人類はこれまでにさまざまなパンデミックを乗り越えて、天然痘《てんねんとう》をはじめとする未知の病を克服してきた。そうした医療の神話にあふれた世界史は、人類の可能性を信じさせるに足る根拠となる。リーダーはときには自らを歴史家へと変身させ、「私たちは先人と同じくパンデミックに必ず打ち克《か》つ」という決意と覚悟を示すべきだった。しかし今の世界の政治家には、こうした文明論的に尊敬できる人物がほとんどいない。政治家に人材が払底しているのは日本だけではない。

中世から近世にかけて多くの感染症が世界を襲ったが、ウイルスとはときとしてヒトやモノよりも速く移動する。私はアナール派の言葉を借りてこの現象を「ウイルスによる世界統一」と呼んでいるが、今回のようにウイルスが私たちの想像以上の速さで世界を覆《おお》い尽くすことは古典的な現象なのである。そう考えれば、不必要にパニックに陥る必要はなく、最初は恐怖心に襲われたとしても、冷静に対処すれば活路が開けることをメッセージとして訴え、現在の国民の立っている位相を語るのが為政者というものではなかったろうか。

二つめの「都市・農漁村・森林の環境整備的なメッセージ」、三つめの「市民生活者の保健衛生、日常生活や職業による経済活動を保証する個別の安心安全メッセージ」は、すなわちインパクトのある「果断な人事」を印象付けることでもある。ある組織が危機に対応するには、真っ先に最適な人員体制を築くことが肝要なのだ。現代政治でいえば、危機に応じて政府の構造を合理的かつ大胆に変えて、国民の誰もが安心できる非常時の布陣に切り替えることもできるはずである。

　この点については、今回の日本は失敗したといわざるを得ない。先進国において、自由主義では私権制限が困難であり、リベラルな民主主義の名のもとに現時点で新型コロナを明確に退けた例はない。強権的な仕組みにより国民を管理すれば可能なのかもしれないが、個人情報の保秘や私権の尊重を世界でいちばん厳格に運用している日本では無理な話だ。この差異を無視してそうしたモデルを日本に採用することはできない。だからこそリベラルな民主主義国家のリーダーは、危機では果断な人事によって多面的な政策と決断を追求しなくてはならない。コロナ禍で田中角栄ありせば、という仮説がしばしば立てられた。福田赳夫《たけお》ありせば、中曾根康弘ありせば、でもそれぞれの個性で成り立つ問いであろう。

　かつて田中角栄は、深刻なインフレに際して福田赳夫を大蔵大臣に起用した。一九七三年（昭和四八年）からの列島改造ブームによる地価急騰で、急速なインフレーションが発生していたが、第一次オイルショックによりそれがさらに加速された。消費者物価指数は七三年で一一・七％、七四年で二三・二％上昇、七四年の実質GDPはマイナス一・二％となり、春闘での賃上げ率は七三年で二〇％、七四年で三三％上昇した。福田は「物価は狂乱状態」「狂乱物価」という名表現で状況を収束させ、政敵とも手を組んだ角栄の姿に国民は雄弁なメッセージを受け取った。

　阪神・淡路大震災では、自民党の小里《おざと》貞利・北海道開発庁長官兼沖縄開発庁長官（当時、以下同）が閣内異動で震災対策担当大臣に就任し、復旧・復興の陣頭指揮にあたった。本来であれば小沢潔・国土庁長官が担って然《しか》るべきであり、彼は自分にお鉢がまわってこなかったことに失望したはずだ。それでも国と国民のために誰がニン（任）なのかを考えて、自身の内側に不満を押し込んだ姿も政治家なのだ。かつて日露戦争直前には内務大臣・台湾総督の児玉源太郎が陸軍参謀次長への降格人事を容《い》れたように、大局観から人事の上げ下げ、閣外からの起用など非情の判断が下されてきた。これこそ、危機のリーダーシップに他ならない。翻《ひるがえ》って安倍政権は今回、未曾有の恐怖と危機に直面したとき、はたして果断な人事を発動しただろうか。もしも田中における福田とまではいかずとも、ポジティブなメッセージをより具体的に発していたなら、現在のように求心力が弱まることもなかったであろう。

もちろん為政者たる者、最終的には目にみえる政策を打たなければ、本当の意味で人びとの不安を取り除くことはできない。そこで必要なのが、三つめに挙げた生活的なメッセージなのである。危機への対応策を講じる際、細かな予算的・法律的な話を伴う政策は、人びとの理解を遠ざけるゆえに逆効果だ。国民を引っ張り、そして生活回復へと繋《つな》がる政策をみせてくれるのか。そんな国民の期待に応えるには、誰もが理解できる政策が必要だ。

コロナ禍のような事態では、やはり医療体制の重点的整備の検討が急務である。具体的には、医師や看護師、検査技師を中心とするさまざまな医療集団の能力を最大限発揮できる仕組みと生活環境をいち早く作ることだ。医師や看護師の子どもの保育を優先的に保障して治療に後顧《こうこ》の憂いをなからしむるのは、政治家でなければできないスピーディーな判断であり、非常時にふさわしい政治家のリーダーシップが必要となる。そこに原則一般の悪平等主義が入り混じって結局何もできないのが日本の欠点である。

同時に、わが国では非常時に自衛隊ほど多様な対応力を有する組織は他にない。その能力はこのたびのような未曾有の危機にこそ充分に活かすべきだろう。しかし今回、厚生労働省を主体にコロナ感染対策が検討されたために、防衛省や国家安全保障会議（ＮＳＣ）の関与が遅れた点は残念でならない。結果として、空港における検疫体制すらも遅々として整えられず、陽性反応者もすりぬける事件が多発した。なかには成田から飛行機などを乗り継いで遠い県まで自由移動したのに、その人間の追跡調査も充分できない事例も見受けられた。要するに、医療安全保障は国家安全保障と密接に繋がることが市民にも厚労省にも充分に理解されていなかったのである。

　国民の生命と生活を守る政策として、第一にマスクを配布した日本政府の対応には辛い評価を下さざるを得ない。まず配布すべきだったのは、特別定額給付金であったはずだ。なるほど、マスクは衛生面の注意を喚起するシンボルとして意味があり、「アベノマスク」と安易に揶揄《やゆ》すべきではない。にもかかわらず給付金をまず配るべきだったと考えている。二〇二〇年六月中旬現在、マスクは配布完了したと報じられているが、給付金はいまだに申請書すら届いていない世帯もあるという。

　政府からの自粛の要請を受けて、国民の多くが補償を求めていた。このとき、一〇万円であろうが三〇万円であろうが給付金の配布を迅速に表明し、「多くの苦労があるだろうが、まずはこれで耐え抜いてほしい。その間に政府が包括的な対策を練る」と切々と訴えれば、それなりに納得してもらえたであろう。給付金が速やかに配布されれば消費も刺激され、その動きは人びとに安心感を与えたはずだ。しかし現実には、政府は配る範囲をどう定めるか、金額をいくらに設定するかなど数字の面を詰めることに慎重にすぎたのではなかろうか。危機の初期に重要なのは、練り上げた政策を打ち出すことではない。わかりやすい政策を打つことだ。その姿勢が人びとを安心させるメッセージとなるのである。

今回のような内外にまたがる大危機に際してリーダーに求められるのは、詰まるところ「国家戦略」「総合政治戦略」「経済戦術・医療戦術」といった三つの大きな戦略と戦術の組み合わせを有機的に結合することだ。これは、かつて立教大学で物理学を教えていた武谷三男氏（故人）の用語を借りるならば、「本質」「現象」に加えて真ん中に「実体」という概念を加えて説明できるだろう。

コロナ禍でいえば国家戦略／本質としての国家国民の進路に関わる歴史的なメッセージ、総合政治戦略／実体としての果断な人事による政策の総合性の組み立て、経済戦術・医療戦術／現象としての国民生活へのソリューションの提供。この三つを立体化させたメッセージへの昇華は、国民の不安を取り除くうえで雄弁なスピーチやレトリックに勝るものであり、危機を乗り越えるためのリーダーシップの要諦《ようてい》といっても過言ではない。

独裁者のほうが危機に強いのか

それでは、歴史上の人物でいま倣《なら》うべきリーダーは誰であろうか。コロナ禍以降は後藤新平が盛んに語られた。私も彼を高く評価したい。しかし、一人だけ挙げるならやはり徳川家康を推したい。徳川政治体制を築いて二五〇年以上の平和をもたらした実績もさることながら、各種の戦略と戦術を見事に組み合わせた点で彼にかなう政治家を史上知らない。

家康は歴史的には応仁の乱以降の混沌にピリオドを打ち、天皇を中心とした国家体制を復元しながら、実際の政治は徳川幕府が担うシステム（徳川政治体制）をつくった。まさに日本に最適の国家戦略である。総合政治戦略としては、「水も余りに綺麗ならば魚は住まない」という言葉を引いたように、思い切った人事を厭《いと》わなかった。豪商や彫金師、猿《さる》楽師《がくし》、下級武士、落魄《らくはく》した公家や名門武家はもとより、英国人であるウィリアム・アダムズ（三浦按針《あんじん》）やオランダ人のヤン・ヨーステン（耶揚子）を側近に置いた事実には驚かされる。そして徳川政治体制と参勤交代という究極の人事システムと行財政機構をつくったのだから、この総合政治戦略も国家戦略の基礎を固めたのである。

そのうえで、入府から一世紀ほどで江戸を世界屈指の行政都市、消費都市へと成長させ、清潔な上下水道の完備、市場の整備、日常の庶民生活の基盤確立、保健衛生の充実を実現するうえでの各種の戦術にも長《た》けていた。加えていえば、小牧長久手《こまきながくて》合戦後、羽柴（豊臣）秀吉に迫られた上洛を暗殺の陰謀だと案じる家臣には、「われ一人腹を切《きり》て、万民を助くべし」と答えたという。すなわち、自分の命と引き換えに多くの人命が助かるならば自己犠牲も厭わないというのだ。政治家としての明快なメッセージは、責任のとり方をはじめ、家臣も民衆も彼を信頼するのに十分であった。

家康について語れば、織田信長や豊臣秀吉はどうかと気になる読者もいるかもしれない。私の採点では、家康が「優」ならば秀吉は辛うじて「良」、信長は歴史的には重要な役割を果たしたにせよ、国民統合に致命的な非人道性を考えると五〇点以上六〇点未満。昨今は、「可」の基準を五〇点以上とする大学と六〇点以上とする大学があるのだから、信長は、可と不可のいずれに転んでもおかしくない。私が信長と秀吉で評価できないのは、その残虐性と反ヒューマニズムである。

そう記すと、「信長のような独裁者こそ危機に強いのではないか」という声も聞こえてきそうである。現在でいえば習近平《シージンピン》国家主席が統《す》べる中国のほうが、コロナ禍でも大胆かつ迅速に対策を講じられたとする論調と同じだ。韓国の文在寅《ムンジェイン》を推す考えも同じである。しかし、考えてみればそれは当たり前のことだ。独裁者は情報を統制して、ときには基本的なファクトを捻《ね》じ曲げて真実を否定することすら辞さないからだ。とくに中国に顕著なこの個性は、危機などそもそも存在しなかったかのように演出することさえ平気でしてしまう。

しかし、私たちはリベラルな保守主義・民主主義を標榜《ひょうぼう》する国に生きている。ならばリーダーは基本的な資質として、法の支配のもと危機に対処する自覚と覚悟をもたなければならない。また、わが国は平和主義国家でもある。戦争を繰り返さないと誓い、そして国民生命の安全を追求する以上、権力安定化のためには真理の隠蔽のみならず粛清へと繋がりかねない独裁制は、選択肢から外さなければならない。信長・秀吉と家康が辿《たど》った人生の究極的差異は、独裁者がいかに危うい存在かを後世に生きるわれわれに端的に教えてくれる。

リーダーが肝に銘じなければならない鉄則

現在の世界を見渡せば、トランプ米大統領に代表されるように多くの国家指導者は「自国ファースト」を掲げている。新型コロナのようなグローバル・イシューでは各国の横の連携が不可欠であり、その意味で自国ファーストのリーダーに不安を覚える人は多いだろう。

しかし、そもそも主権国家であるならば、本来的には自国ファーストではない国など存在しない。「自国よりも世界を優先する」と声高々に宣言する指導者を、どこの国民が支持するだろうか。内向きに自国ファーストを唱えるのは、ある意味では必然なのだ。重要なのは対外政策においてグローバル・イシューとバランスよく協力連携するか否かであろう。その点、トランプ大統領はＷＨＯ（世界保健機関）への拠出金を停止する極端な人物である。背景には同じくアフリカ進出を図る中国への牽制の意味合いがある。注意すべきは、中国のＷＨＯ支援は自国ファーストに他ならないことだ。習近平はコロナ禍で欧州を支援するかわりに、中国の５Ｇシステムを利用するように働きかけている。マスク外交とも揶揄されたように、アメリカよりもある面随分《ずいぶん》と露骨であり、チャイナ・ファーストの一環としてグローバル・イシューが活用されているにすぎない。

日本も突き詰めれば自国ファーストに相違ないが、それでもＷＨＯへの拠出金は拒否せず、代わりに発言権をもつ道を選んでいる。ＷＨＯが中国の影響下にあることは明白だが、アメリカは現状のまま関係を続けるのはデメリットが大きいと考え、日本は留まるほうが自国へのトータルメリットがあると判断した。いずれもリスクやコストを比較して、自国の利益が大きい道はどれかを判断したにすぎないのである。これが国家戦略というものだ。

さまざまな批判は受けても、新型コロナ対策など、いかに国益を最大化していくのか、包括的な議論のうえで総合政治戦略を打ち出してほしいと願わずにはいられない。

このとき、リーダーが肝に銘じなければならない鉄則は、あらゆる問題を狭い選択肢で考えてはならないということだ。国家戦略・総合政治戦略・各種の戦術、本質・実体・現象という三要素をどう理解すれば最適解が得られるのかを模索しなくてはならない。

たとえば、韓国の文在寅大統領は米中と等距離外交を進め、南北接近から統一を実現しようとしているが、これは自分の都合を相手国に押し付ける机上の空論にすぎない。彼らに欠けているのは、歴史の文脈に基づいた国家戦略を現実的に打ち立てる姿勢である。いかに遠大な理想を思い描いたところで、内外を納得させる総合政治戦略がなければ無意味であり、その逆も然《しか》りなのだ。結果、韓国でいえばいまや米中双方からプレッシャーを受ける事態に陥り、二〇二〇年六月一六日に南北融和の象徴である連絡事務所が北朝鮮によって爆破されるなど、北朝鮮との緊張は当面増すばかりである。

だからこそリーダーは二戦略と各種の戦術、本質・実体・現象の三要素をいかに認識するのかを、つねにシミュレーションしなければならない。コロナ禍のような非常時においてもまったく例外ではない。新型コロナでニューノーマル（新常態）時代が到来するといわれている。

「天地活物にて、人事も活物に候《そうろう》。世人とかく何事も死看《しかん》致し候故、出来申さず。世事に処《しょし》候は活物ゆえ、変化の手段なくて叶わざる者に候」（『甲子夜話《かっしやわ》』3、巻三十九の一）。

江戸時代のリーダーシップ論の『水雲《すいうん》問答』の一部である。著者の安中《あんなか》藩主・板倉勝尚《かつなお》（綽山《しゃくざん》）は、天地も人事も活物だというのだ。ところが世の中はとかく体験や教養も生かさずに機械的に物事をみるために、何事も成功しない。活きている世の対策をとるには、その変化に応じて対応すべきなのに、と板倉は強調する。いつのときでもリーダーに求められる資質は変わらない。


（恐怖に克つ「危機の指導者」の要諦：「Ｖｏｉｃｅ」二〇二〇年八月号）

「現在に盲目」なのはワイツゼッカー？

政治家の大切な仕事は、いかなる外国に対しても、自国を必要以上に卑屈にさせず、足に枷《かせ》をかけた上に首まで軛《くびき》に差し出す事態をつくらないことだ。このプルタルコスのひそみに倣《なら》えば（『モラリア』9）、歴史を含めて万事を特定の国々の判断に任せっぱなしにし、自らの国益を麻痺《まひ》させ歴史解釈に臆病になることで、結局は国や自分の政治生命をすっかり台無しにしてしまう人びともいる。

日本の戦争責任や歴史認識を話題にするとき、いつも元ドイツ大統領ワイツゼッカーの演説を持ち出す論者がいる。そこには、中国や韓国が日本に望む以上にこれらの国を「自分たちのご主人さまに祭り上げてしまう」（プルタルコス）人びともいないとは限らない。

戦後七〇年にあたり、こうした点を改めて考えたのは、元ドイツ大使の有馬龍夫氏の『対欧米外交の追憶』（藤原書店）に負うところが多い。氏は、ワイツゼッカー演説にはどこを探してもホロコーストについて謝罪やそれに類した表現が見当たらないと指摘する。元大統領は「民族全体の罪、もしくは無実」というものはなく、罪は「集団的」ではなく「個人的なもの」だと言い切る。現代のドイツ人は自分が生まれてもいない時代の事件について罪を「告白」できないというのだ。有馬氏が解釈するように、「告白」とは神の許しを請うことだから他人の罪を告白するいわれもなく、ナチス党員の犯した罪を今のドイツ人や国家が謝罪する必要がないとワイツゼッカーは非常に明快な立場を示しているのだ。

確かにワイツゼッカーはドイツ人の過去に対する責任を認め、ナチスの犯した罪状を長々と紹介している。このやや冗長な演説のなかで有名な「過去に目を閉ざす者は結局のところ現在に盲目となる」というくだりが出てくるのだ。しかし、そこで言わんとする事は、ナチスの犯罪を心に刻んで記憶せよということであり、国家ましてやドイツ人の責任や謝罪を明示的に認めたのではない。その後にすぐ「非人間的行為を心に刻もうとしない者は、また新しい感染の危険への抵抗力をもたない」と述べたのは、忘れると再犯しかねないという一般的メッセージだと有馬氏は推測している。

　ワイツゼッカー演説の肝は、ドイツ人がナチスの台頭を許した重大責任やナチスの蛮行の共同正犯だった面を認めていないことだ。その意味では、元大統領はどの外国に対しても祖国ドイツを必要以上に卑下させず、「足に枷をかけた上に首まで軛に差し出す」ような事態を後世の国民に経験させまいとしたのである。彼は、未来の子孫に過去への過剰な責任と謝罪の意識を残すまいとする装置を巧みに編み出した。同時に、ナチスの外務次官・親衛隊将軍としてニュルンベルク裁判で有罪となった父をもち、歩兵将校として赤軍と戦った自分の過去を、ナチスの犯罪から切り離す役割も担わそうとしたのである。この二重性を苦もなく演説にまぎれこませた点こそ、端倪《たんげい》すべからざる政治家たる所以《ゆえん》というべきであろう。

（政治家の大切な仕事：産経新聞「歴史の交差点」二〇一五年八月一〇日付）

惜しまれる政治家の引退

オリンピック競技を生んだ古代ギリシャでは、政治家の生き方がしばしばスポーツの在り方と比較されたものだ。それは、格闘競技と同じように、政治のゲーム参加者も、盛りの時期が過ぎれば「惨め」になるということだろう。

確かに、どれほどのスターでもスポーツの選手たちは、肉体の衰えを自覚すると引退しなくてはならない。同じように、政治家のキャリアにも引退にふさわしい時期が訪れるという紀元一世紀の著述家、プルタルコスの指摘には、冷厳な真理が含まれている。そもそも選挙とは、気力が衰えた者を篩《ふるい》にかける機会でもあり、自ら引退を表明する者もいれば、落選の憂き目を見て政界を去る者もいる。

称賛ほど耳に快いものはない。これは現代の日本人政治家でも同じだろう。政治家であれば、古今東西を問わず、国家や政党の要職に就き、政治活動の場で得る充実感と喜びは共通している。自分の力で成し遂げた立法や政策が人々のためになり、その達成感がもたらす喜びは政治家の本懐というべきだろう。

プルタルコスは、うまいことを述べている。
燦々《さんさん》と明るく照らされ、誰からもよく見える場で政治努力の成果に喜びを感じる以上に、政治家に与えてくれる喜びは、目に見えるものであれ、記憶に残るものであれ、思考できるものであれ、この世には存在しない、と（『モラリア』9）。

月桂樹の冠がやがて色あせるように、政治家の業績や栄誉も、年とともに枯れていくのは避けられない。絶えず何か新しいもの、生き生きとしたものを付け加え、往事の業績や成果を人々に感謝させ、いよいよ立派で不滅の成果にできれば、年齢を越えて政治家はいつまでも存在感を発揮できるかもしれない。しかし、この領域に達した政治家は世界史でも稀《まれ》である。

従って、良質な政党政治家は余力を残して引退するのである。国民と有権者はもとより政治評論家や政治学者といったプロにも惜しまれる引退ならば、もって瞑《めい》すべしと言うべきだろう。今回（二〇一七年）の総選挙に出馬しなかった自民党の谷垣禎一《さだかず》元総裁と高村《こうむら》正彦副総裁は、その数少ない例ではないだろうか。

二人は、まさにリベラルな民主主義、リベラルな保守主義の流れを代表する政治家であった。野党時代の自民党を支え、政権復帰後も地味な政策作りで日本政治に大きく貢献した人物たちでもある。選挙で当選してくる新人たちは、二人の政治作法や落ち着いた発言に隠された教養と知性や、言葉を選択する慎重な芸術に学んでほしい。

政治の潮目は、不注意な言葉や他人への高姿勢から急に変わることを、今回の選挙をめぐって実感した人も多いはずだ。

「競技が始まるというときに、一つの弁解がその技量を奈落の底へ突き落とす」とは、ピンダロスの詩句である。思慮深い谷垣氏と高村氏は、人が苦境にあるときに平常心で堪える意志力と自信の在り方を教えてくれた。二人の御加餐《ごかさん》を心からお祈りしたい。

（惜しまれる政治家の引退：産経新聞「歴史の交差点」二〇一七年一〇月一六日付）

日本の戦略的システム

「ああ、不幸なことは幸運なことよりも、なんとたやすく世間の耳に届くことか」とは、古代ギリシャの哲学者プルタルコスの紹介する詩句断片である。

例えば、「日本には国家戦略がなく、日本人には戦略的思考もない」という不幸な思い込みは、ほかならぬ日本の世間にかなり浸透している。戦略とは、軍事に限らず、官庁や企業、大学など各組織が国家と国民の将来を見つめ、長期的な運営の方策や目標を達成するシナリオの意味でもある。

しかし、米国の戦略家エドワード・ルトワック氏は、日本人が戦略下手どころか、すこぶる高度な「戦略文化」を駆使してきたと論じている。近著『日本４・０』（文春新書）で、日本の発展史を「江戸」「明治」「戦後」の三つのシステムに区分したうえで、この四〇〇年間、日本人は常に「完全な戦略的システム」を作り上げてきたと主張するのだ。

彼が「日本１・０」と呼ぶ平和と繁栄の起点を、近代の明治維新でなく、近世の江戸時代と徳川家康に求めるのは慧眼《けいがん》である。江戸幕府をつくった家康は、戦国時代の内戦を完全に封じ込める完璧な「ガン・コントロール」（銃規制）を作り上げ、大名の服従や統制を通して敵対者を消滅させる最高度の同盟戦略をシステムとして成功させた。

まさに家康は、同盟の論理に精通した「天才的な戦略家」なのである。この平和と安定の「江戸システム」は、その後三〇〇年近くも有効であった。

徳川家康を「最高レベルの戦略家」と強調したルトワック氏の見方は、「稀有《けう》の軍人政治家」として家康の「総合力」を評価する私の視角とも共通する。戦争と平和と外交の全局で、慎重さと大胆さ、知識欲と独創性を失わない家康は、統治者としてカエサルやナポレオンよりも成功を収めた。

しかし、家康の「日本１・０」も子孫が手入れを怠ると、黒船の来航と外圧のせいで明治維新による近代化と産業化の「日本２・０」に取って代わられ、一九四五年の第二次大戦敗戦以降の「日本３・０」による経済成長国家に変貌《へんぼう》した。日本は、その時々に最適のシステムと同盟を選びながら国を維持発展させてきたと言えよう。

この経緯で見落とされがちなのが、日本が世界規模の激動に初めて参画した第一次大戦への視座だ。大戦終結一〇〇周年に当たる二〇一八年は、「日本２・０」の破綻と「日本３・０」の出発という国家の道程を顧みるうえでも最適の年である。それは、これまで日本人が経験しなかった東アジアの特異な核ミサイル危機に対応する新たな戦略とシステムの創出を考える一つの出発点にもなるだろう。

日本は民需と軍需の両面で、石炭から石油への燃料転換とエネルギー安全保障の意味を第一次大戦で学ぶことができなかった。これこそが「日本２・０」が機能不全に陥る大きな原因であった。

一九一三年、英海軍大臣チャーチルは、軍艦燃料の石炭から石油への転換で艦船の速度と行動範囲が大きく改善されたと述べた。「どの質にも、どの手順にも、どの国にも、どのルートにも、どの会社にも、どの油田にも一つだけに頼ることはない。石油の安全と安定は多様性にのみ関わることだ」（On no one quality, on no one process, on no one country, on no one company, on no one route, and on no one oil field must we be dependent. Safety and certainty in oil lie in variety, and in variety alone.）という彼の名言は、エネルギー供給源の分散と多角化という点で、非産油国日本にこそ当てはまる戦略の本質である。

第一次大戦で露呈した日本の弱点は、石油の需要と供給の両面で米国、英国、日本という当時の海軍三大国の中で最も脆弱《ぜいじゃく》な存在だったことにある。

広く指摘されるように、一九四〇年当時の日本の原油生産量は三三万キロリットルにすぎず、消費量の四六〇万キロ・リットルをはるかに下回っていた。石油の輸入依存度は約九二％に達しただけでなく、輸入高の八一％を海軍仮想敵国の米国に依存していた。この逆説を克服できずに、米国を相手に戦争をしたこと以上に「日本2・0」の戦略的破綻を象徴するものはない。戦後も、二度の石油危機が「日本3・0」の土台を揺らし、日本の戦略的脆弱性を内外に印象づけた。

昭和天皇が抱いた危機感

第一次大戦は、一九一四～一八年の当時でも、日本が交戦状態にあるという意識が国民にとって希薄な戦争であった。そこから死活の教訓を得る雰囲気は軍人から国民に至るまで無きに等しかった。日本は、ほとんど犠牲を払わずに、赤道以北のドイツ領南洋諸島を占領し、国際連盟による委任統治国となった。

また、一時的に中国の山東半島におけるドイツ権益の継承を英仏露各政府に認めさせ、アジア太平洋における米国との勢力均衡にもひとまず成功した。

しかも、大戦開始の翌年から好況に転じた日本経済は、アジア市場からヨーロッパ製商品が後退した後、輸出市場を独占したことで空前の好景気を迎えた。大戦前、約一一億円の債務国だった日本は一九二〇年には二七億円超の対外債権を有する黒字国に転換する。

しかし、戦争の悲劇的本質を無視して楽観的気分に浸る日本の揺らぎに危機感を抱いた人物がいる。昭和天皇にほかならない。

一九二一年三月から六カ月間、皇太子として英国などを訪問した昭和天皇に、英国王ジョージ五世は大陸の悲惨な戦跡を見学することを勧めた。日本が大戦で「平和を無傷で手に入れた」という幻想を裕仁皇太子が抱いているように思ったからだ。ベルギーの激戦場イープルを視察した皇太子は、二一年六月に戦跡視察の感想をジョージ五世に送った。「予ガ佇立《ちょりつ》スル目前ノ光景ハ、陛下ガ予ニ告ゲ給《たま》ヒシ如《ごと》ク、『イープル戦場ノ流血凄惨《せいさん》』ノ語ヲ痛切ニ想起セシメ、予ヲシテ感激・敬虔《けいけん》ノ念、無量ナラシム」。太平洋戦争でポツダム宣言受諾に舵《かじ》を切った昭和天皇の脳裏には、欧州戦場の悲惨さが浮かんでいたとされる。「責め一人に帰す」という天皇の姿勢こそ、戦略的決断と言うべきだろう。

日本は、日英同盟に基づく英国の要請を受けて一九一七年四月から海軍第二特務艦隊を地中海に派遣し、ドイツ潜水艦の脅威を受ける連合国艦船の護衛任務に就いた。しかし、海軍は地中海での任務から得た貴重な教訓を無視した。海軍は、地中海で潜水艦による通商破壊戦の重要性を痛感し、シーレーンの遮断や海上封鎖を試みる敵潜水艦との戦闘や潜水艦同士の水中戦の新戦術を知ったはずである。しかし、武装商船（マーチャント・ネイビー）や護送船団方式の有用性を、米国との太平洋戦争に生かすことはなかった。

「将来の出来事をあらかじめ知ろうと思えば、過去に目を向けよ」と力説したのは政治思想家マキャヴェリである。その警告は、自らの負担を最小化してきた点では快適であっても、東アジアの厳しい安全保障環境にもはや対応できない日本の戦後システム「日本3・0」の見直しにも、当てはまるのではないか。

（日本の新戦略：読売新聞「地球を読む」二〇一八年一〇月二一日付）

日本のリーダーが直面する「でこぼこの道」

二〇二一年一〇月三一日の衆議院総選挙で、自民党・公明党は合計二九三議席を獲得した（自民二六一、公明三二）。立憲民主党は「政権交代実現の際には、日本共産党に閣外協力を求める」と表明して選挙戦に臨んだが、有権者の理解を得られず議席を減らした。野党共闘では、共産党支持者が立民党候補に投票したのに、立民党支持者の投票先にはバラツキが見られた。連立政権への付《ふ》帯《たい》的合意でなく、選挙区での得票数増大を狙った戦術の限界であろう。

立民や共産といった「対決型野党」が選挙で敗北した一方、大阪府・市の行政で改革やコロナ対策に実績をあげた日本維新の会は躍進し（公示前の一一議席から四一議席へ三〇議席増）、国民民主党も予想外に健闘した（三議席増の一一議席）。両党はいわば「提案型野党」という第三極のポジションを手にした。

与党の自公が二九三議席の安定多数を占めるのに対し、「対決型野党」は一〇六議席に留まり（立民九六、共産一〇）、「提案型野党」は五二議席だ（維新四一、国民一一）。「提案型野党」が存在感を増すことで、岸田文雄政権の国会運営に安倍・菅時代と異なる変化が現れるだろう。他方、一一月一八日の執筆時現在、立民では四人の代表候補者が出そろったが、立民の政治的スピード感と時代をとらえるアピール力は鈍いのではないか。

「対決型野党」といえば、野党ヒアリングで反論も許されない立場の官僚をつるしあげる光景が目に焼き付いて離れない。対決型野党は緩《ゆる》やかな再編を遂げて、中長期的には政権担当能力のある「提案型」が野党のマジョリティ（多数派）を占めていくかもしれない。今後、維新や国民党は憲法改正や安全保障、あるいは賃金増・人口増対策について与党との対話による政策実現に踏み出すだろう。

『エセー』を書いたモンテーニュ（近世フランスの思想家）は「真実の道は単純な一本道だ」と認める。しかし政治の場では、さまざまな立場の意見が交錯し、利害が複雑にからみ合う政界は単純な一本道ではない。モンテーニュの言葉を借りるなら「引き受けた仕事での利益の道は二重で、でこぼこだし、思いがけぬことが待ち受けている」ものだ。

自公政権打倒の一点張りで一本道の議論をするだけでは、日米安保・消費税問題など二重・三重にでこぼこの厄介《やっかい》な道で連立や政策協定を選挙で示さずには進めないはずだ。かたや維新や国民党は与党批判のかたわら、妥協できる共通項や選択肢をなんとか見つけようと努力した。口舌《くぜつ》・パフォーマンスによる対決でなく、損得・実践の対話の姿勢が、有権者の理解を得たのではないだろうか。

連立与党が今回も支持されたのは、意見の異なる他者との対話という民主主義の第一歩がまず恒常的に連立の形で成功している点が評価されたからだ。保守政党の自民党は、日本の政党の中でもいちばん国家のかたち・家族の姿を重視する。ただ、キケロ（ローマの思想家）は「祖国がすべてに優先すると思うな」と述べ、「両親を慈《いつく》しむ市民、家族を大切にする市民こそ、国家にとって大事なのだ」という感覚を重視した。連立を組む公明党は大衆政党の立場をとり、キケロと近似する感覚を持っている。この自公のバランスは、意見の異なる他者との対話成功の縮図であり、安心感を有権者に与えてきた。

権力を行使しすぎると組織は混乱する

江戸幕府後期に安中《あんなか》藩主を務めた板倉綽山（板倉勝尚）という大名は、『水雲問答』という本で「大に治まれば大に乱れ、小《ちいさ》く治まれば小く乱る」と言った。思いきって大きく政治の指揮を執れば、そのぶん混乱の振り幅も大きい。小さく政治をやれば、混乱は小さく抑えられる。人を服従させるにはあまりに厳しく権力を行使しすぎると、侮蔑と反発を招いて組織は混乱する。徳川家康のように「重箱をすりこぎで掃除するくらいでちょうどいい」と鷹揚《おうよう》に構えるほうが、人々が萎縮せず丸く治まるのだ。これは先のモンテーニュの言葉にも通じる。

二〇二一年九月の自民党総裁選挙に出馬したときから、岸田首相は「私には聞く力がある」と繰り返し強調してきた。自分とは国家観や家族観が違うとしても、まずは相手の意見に真摯に耳を傾ける。その姿勢を決断力に結び付けるなら、岸田首相は今日の政権支持層をさらに分厚くすることに成功するのではないか。

岸田政権が最優先で取り組むべき課題は、短期的には新型コロナウイルス撲滅と国産ワクチン・内服薬製造による経済対策だ。コロナ禍に巻きこまれた人びとは、深刻な収入減と雇用の危機に見舞われた。まずは個人所得と企業収益を増大し、所得格差と極端な貧困を是正する。

中期的に取り組むべき課題は二点ある。第一に、岸田首相が掲げる「新しい資本主義」の構築につながるが、コロナショックを克服して経済成長を再開すると同時に、分配方法を新しく見直すことだ。これが「成長と分配の好循環」の構築につながる。

第二に大平正芳首相のビジョンにつながる「デジタル田園都市国家構想」は、「シャッター通り」に象徴される地方都市の不振を活性化する起爆剤になることを期待したい。

時代を超える『三事忠告』の教え

中国・元の時代に、張養浩という官僚・儒学者が書いた『三事《さんじ》忠告』という本がある。江戸時代に松平定信が熟読し、大平正芳首相の愛読書でもあった。この本は「廟堂《びょうどう》忠告」（内閣や中央政権への提言）、「風憲《ふうけん》忠告」（法律と司法への提言）、「牧民《ぼくみん》忠告」（地方行政への提言）の三章から構成される。

内閣に助言する「廟堂忠告」の内容は、現代の政治にもそのまま通じるように思える。たとえば「任怨《にんえん》」（人の恨みや批判は全部自分が引き受ける）という構えだ。首相のような要職に就く権力者は、必ず誰かから恨まれる。だからといってビクビクしてはいけない。党内反対派・野党から非難や謗《そし》りを浴びせられるのは、責任ある地位に就き、トップに立つリーダーの宿命なのだ。人の恨みも寛大に受け入れて仕事をするなら、いつか恨んだ人でも自分の思いを理解してくれる時が来る。

「廟堂忠告」には「分謗《ぶんぼう》」（人の謗りは皆で分け合おう）の教えもある。志をともにする同志と一緒に、自分にぶつけられた誇りを分かち合えばいい。『三事忠告』の姿勢を忘れずに、岸田首相はポストコロナ日本の舵取りに果敢に挑戦してもらいたい。

日本の戦後復興の中で一番輝いたのは、一九六〇年代の高度成長時代であろう。経済学者の故・村上泰亮《やすすけ》の言葉を拝借すると、高度成長は「新中間大衆」と呼べる日本独特の分厚い社会層を生み出した。戦前戦後の貧困に苦しんだ人々が、経済成長で豊かになり中流意識を持つ社会層を形成するようになった。こうして九〇年代初頭のバブル崩壊まで、日本社会で一億総中流化の幻想が実現したのである。

バブル崩壊から二一世紀初頭の三〇年間、日本は長い不振の時代にあえぐ。かつて中流意識を持てた「新中間大衆」は、この時代に上下に分裂した。中流から下層に弾き出された若者は、「フリーターとして自由に生きる。誰にも縛られない人生を送るのだ」と夢と希望を語ることもできた。しかし今や非正規雇用の労働者は「不確定性の不安」とでも言うべき状態に陥っている。仕事に就かないニート（若年無業者）と呼ばれる若者も増えた。「新中間大衆」の分解と非正規雇用労働者の貧困は、人口減少問題と並び、二一世紀日本が抱える最大の社会的不安材料になるだろう。

一九六〇年代後半以降の日本社会の人々は、九〇%以上が「自分は中流だ」という意識をしていた。しかも六〇％以上は「自分は中流の中くらいで、そこそこ良い暮らしをしている」と自信を披《ひ》瀝《れき》していた。当時の人々は、心の中にずいぶんと余裕をもっていた。

今や日本の「新中間大衆」は分解し、富裕市民と貧困市民の差が急速に広がった。しかし日本国民の多くは、アメリカのようにごく一部の富める者が貧困層の犠牲を意に介さない弱肉強食社会の出現に懐疑的ではないだろうか。この感覚は、歴史的にいえば、鎌倉時代以降日本人の血となり肉となっている。

岸田首相が掲げる「成長と分配の好循環」は、新しい中間市民層が分厚く形成できるかどうかとも関連する。中負担中給付によって折り合いをつけながら、上下極端に分裂した中間層を今一度再結集させる。格差と貧困の拡大を食い止め、分断されて下層で苦しむ人々を全体として上へ押し上げる。これらを「二一世紀の新中間市民層」として復活させる経済政策が急務だ。

企業の内部留保は年々増え続け、今や総額四八四兆円に達する（二〇二〇年度）。その内部留保が、社員に十分果実を分与しているとはとうてい思えない。とりわけコロナでますます職業的重要性と献身性が見直された看護師・准看護師・介護士、保育士、幼稚園教諭や障害福祉職員などの賃金増と待遇改善は、ますます推進してもらいたい。賃金増と待遇改善によって、社会的な地位と評価を見直す。これらの職業も、強力な「新中間市民層」の一翼を担ってくれるはずだ。また、経済安全保障への協力姿勢を示す企業には、岸田内閣が考えている税制優遇措置を検討してもよい。

巨額の赤字国債へ正面から取り組め

ところで、これまでどの政党が与党でも、日本はあまりにも無造作に赤字国債を乱発しすぎた。賃金が横ばい状態になりながらも、どうにか日本人は生活を右肩上がりに向上させてきた。為替レートの巧みな修正・変動、赤字国債の発行などには限界もある。

小泉純一郎政権時代の塩川正十郎財務大臣は、かつて「母屋ではおかゆをすすっているのに、離れでは子どもがすき焼きを食べている」という国会答弁をした。一般会計（母屋）はジリ貧なのに、特別会計（離れ）に頼って国民は贅沢な暮らしをしている。これは我々の道徳観や倫理観を最終的に崩壊させかねないモラル・ハザードになるということだ。日本人は鎌倉時代から「粗《そ》ではあるが卑《ひ》ではない」「武士は食わねど高楊枝」と言って、忍耐と試練を美徳にしてきた。たとえ金に恵まれず粗末な暮らしを送っていても、決して卑しい生き方をせず捲土重来《けんどちょうらい》を期そうとした。「二一世紀の新中間市民層」構築のために、赤字国債の乱発でなく、新産業の育成・新職種の発展こそ問われるべきだろう。

「円建て発行の国債は日本人が積極的に購入するから、破綻が起きない」と信じる人もいる。だが外国人投資家が、一〇〇〇兆円超という巨額の国債発行残高に日本がいつまで耐えられるのか、疑問を抱くのも当然だろう。この関連で、二〇二一年一一月に入って一挙に進行したガソリン価格はじめ食糧などの輸入価格の上昇など、いわゆる「悪い円安」の進行が気になる。これが賃金上昇や雇用の抑制を招き、景気を後退させるからだ。

発足したばかりの岸田政権の政策を見ると、まだ赤字国債やプライマリー・バランス（基礎的財政収支）の是正といった大改革への積極的な指針が必ずしも示されていない。強い危機感をもち、財政破綻を避けるための根本的課題に正面から取り組んでほしい。

非現実的とはいえない最悪のシナリオ

最後に、岸田政権が直面する外交課題として、中台問題に触れておきたい。

習近平国家主席は主観的に二つの成果を誇るようだ。第一に、中国共産党内の腐敗を根絶する作業をやり抜いたこと。第二に、香港の一国二制度を骨抜きにし、地政学的に大きな不安定要因を抱える新疆《しんきょう》ウイグル自治区の自主性を形骸化して「一つの中国」を固めたこと。国際社会から「人権弾圧だ」と非難されようが、国際世論を意に介さないのが中国共産党の〝強み〟である。

二〇二一年一一月に開催された六中全会（党中央委員会の第六回全体会議）で、新たな歴史決議が実に四〇年ぶりに採択された。この決議の中で注目されるのは、江沢民《チアンツオーミン》と胡錦《フージン》濤《タオ》の名が明示されていることだ。また、鄧小平《トンシアオピン》が江沢民、胡錦濤と一緒に括られていることだ。つまり習近平が毛沢東《マオツオトン》のように、独立した存在として扱われていながら、かつての毛沢東のように個人崇拝の対象でなく、党の集団指導体制の枠内で鄧小平ないしはそれ以上の地位に就いたということだろう。

習近平が毛沢東や鄧小平と並ぶ本当の権力者になるための最大の障害は、カリスマ性の欠如である。これを補うには、さらなる実績が必要となる。その第一は、かつてのソ連が一時期到達したアメリカと並ぶ超大国の地位獲得を内外に認めさせることだ。第二は、台湾の本土統合である。

しかし武力による台湾の「解放」は、習近平のみならず中国の最大リスク要因でもある。この悪いシナリオは日本にも波及する。台湾海峡で中台間の武力衝突が起これば、偶発的でない意図的な衝突はただちに本格的な台湾有事へ発展する。台湾海峡の局地戦勃発に、当然アメリカは黙っていない。アメリカの台湾有事への介入は、最悪のシナリオであるが、非現実的とはいえない所に習体制の怖さがある。

台湾有事が起きれば、日本の東シナ海や南西諸島の海域にまで影響が波及しないはずがない。今でも尖閣諸島周辺海域だけでなく、津軽海峡や大隅海峡、宮古海峡など日本の海域を中国の艦船がたびたび往来している。台湾海峡で軍事衝突が起きようものなら、それ以外の東アジア海域でも領土・領海・領空への脅威が高まるのは必至である。

日本は、台湾海峡で軍事衝突が起きることも、東シナ海や南西諸島の平和と秩序が乱れることも、まったく許容できない。これは、かつての十五年戦争の反省であるとともに、戦後一貫して国際社会の平和と秩序のために尽力してきた日本の努力にもかかわる。

「樽俎折衝《そんそせつしよう》」という言葉がある。宴席のなごやかな談笑のうちに話し合いを進め、交渉を有利に展開させることだ。転じて、外交上の駆け引きを意味する。岸田首相には所属母体である宏池会の伝統的な中国人脈がある。林芳正・新外相は、日中友好議員連盟の会長でもあったが、外相就任とともにすぐに会長を辞任した。林氏はおそらく樽俎折衝の世界で利益相反になる可能性を危惧したのだろう。このスピード感は、総選挙敗北後の立民党代表選のスロー・ペースと比べて対照的だ。一方、元防衛大臣の中谷元氏を国際人権問題担当の首相補佐官に任命したのは、新疆ウイグル自治区の自治・人権の蹂躙《じゅうりん》に怒る欧米世論を意識した人事であろう。岸田首相の人員配置とバランス感覚は評価されてしかるべきだ。

　中国との付き合いは本当にむずかしい。通商や文化交流なら日中関係を正面からとらえるだけでよい。しかし外交安全保障ともなると、もっと多角的な総合理解が必要となる。例えば、新疆ウイグル自治区とワハン回廊で国境を接するアフガニスタン問題がある。中国政府は二〇二一年九月にタリバン政権に三一〇〇万ドルの緊急支援を約束した。アフガン安定回復を阻害する「イスラム国」など武装闘争組織が、新疆ウイグル自治区に浸透しはじめたからだ。タリバンの理性化を求める日本政府は、ウイグル民族の人権や信仰の尊重を中国に求めねばならない。

　長く外相だった岸田首相なら、改めて南宋《なんそう》の詩人・陸游《りくゆう》の表現をかみしめるに違いない。「少年亦《また》慕《した》う、官遊の楽しみ。投老方《まさ》に知る、行路《こうろ》の難」（若い時なら外を見る楽しみにあこがれたが、老境に入って初めて旅路の難しさが分かった）と。

（日本の新リーダーが直面する課題：「潮」二〇二二年一月号）

第二章　ユーラシア地政学の変動——独裁者といかに対峙するか

第一次大戦に匹敵する転換点

今年、二〇一四年は第一次世界大戦の勃発から一〇〇周年に当たる。そして現在の世界は、さながら二〇世紀の初頭を想起させるかのような大激動に見舞われている。あるいは、国際政治と世界史の転換点として、二〇一四年は後世に記憶される年になるかもしれない。

それは「イスラム国」の出現のように、これまで国際関係で前提とされてきた大国間の平和や世界秩序の枠組みを解体しかねない緊張が出現しているからだ。

第一次世界大戦のインパクトは、アメリカのウィルソン主義やソビエト・ロシアのボリシェヴィズム（レーニン主義）といった、非西欧世界の生み出したイデオロギーの強烈さにある。その中心にあったのは、民族自決権と主権独立・自治国家を承認する原理であった。

この新たなダイナミズムは、近代ヨーロッパ各国の外交と国際秩序観に大きな修正と転換を余儀なくさせた。すでに一九世紀末になると、日本やアメリカといった非ヨーロッパ諸国がヨーロッパの大国と肩を並べながら国際政治のゲームに参加するようになる。それでも、日本の関心は東アジアと西太平洋、アメリカの関心は西半球と太平洋に限られていた。

ヨーロッパ諸国は、非ヨーロッパ世界における権力政治と国際政治の構造を従来以上に重要なものとみなし、その構造を再編しようとした。それが第一次世界大戦の勃発なのである。

第一次世界大戦は、歴史でも未曾有の残酷な戦法と破壊的結果をもたらした恐るべき戦争であった。この戦争に二〇世紀の病根のほとんどすべてが由来するといっても過言ではない。

二〇一四年にはアラブの世界で性格の異なる戦争がガザ、シリア、イラクで同時に進行したが、その原因は直接には一〇〇〇年前に遡《さかのぼ》るのである。

いちばん極端な主張をする「イスラム国」は、シリア・イラク両国の領土にまたがるシャーム砂漠に支配権を確立した。シリア内戦の中にさらに内戦が入れ子になっている二重戦争の複雑さが、イラクや他の中東にも広がっているのだ。

他方、独立主権国家ウクライナの一体性を脅かしクリミアを統合したロシアの動向は、東ウクライナでの内戦をもたらし、米欧とロシアとの緊張は、国際政治の中心的争点になっている。これも遠因としては、第一次世界大戦とロシア革命に遡るといえよう。

この大戦は、近代のどの事件よりも歴史の道筋や人びととの運命を大きく変えた戦争であり、その性格を考えることは、一〇〇年たった二一世紀の現在も、人類の近未来を理解する上で大きな手掛かりになるといえよう。この点こそ、二〇一三年一一月に出した小著『中東国際関係史研究』（岩波書店）のモチーフなのであった。

　第一次大戦が現代に投げかける教訓について、外務省の要請でこのほど出かけるアラブ首長国連邦、オマーン、ヨルダン、エジプトの講演でも、私なりに考えを示したいと思っている。

（第一次大戦という病根：産経新聞「歴史の交差点」二〇一四年一一月一七日付）

ロシアの新ガス地政学

　ウクライナやクリミアをめぐる欧米の制裁によってプーチンの政策は打撃を受け、孤立したロシアの国際的影響力は急速に衰退するという見方がある。国内経済が停滞し、油価も下がっているからだというのだ。

　しかしプーチンは、相変わらず日本に北方領土問題で強硬姿勢を貫く一方、シリア内戦やイランのウラン濃縮の問題などでも米国に妥協する気配はない。

　中東への影響力はこの半年間にかえって成長しており、中東国際関係の専門家ブランドン・フリードマンも言うように、ロシアとトルコとのエネルギー関係は注目に値する。

二〇一四年一二月一日、プーチンは一五五億ユーロに及ぶ「サウス・ストリーム・ガスパイプライン」の計画をキャンセルした。年間六七〇億立方メートルの欧州向け天然ガスを、黒海海底の九〇〇キロメートルのパイプラインでブルガリアのハブ基地に流すという構想である。

これは、ウクライナ経由での欧州ガス供給ルートの代替案だったが、欧州連合（ＥＵ）の反対が構想を断念させた。ここにウクライナ危機が反映していることは言うまでもない。

ロシアは、サウス・ストリーム計画をトルコに切り替えようとした。プーチンは一四年一二月のアンカラ訪問の際、「トルコ・ストリーム・パイプライン」の計画を公表した。トルコのダウトオール首相は、自国がエネルギー・ハブになる野心を隠さず「すべてのエネルギーはトルコを経由して流れる。すべての道がローマに通じるように」と高言している。

トルコ・ストリームの計画は現存の露土「ブルー・ストリーム・パイプライン」を拡大させ、サウス・ストリームとほぼ同じ量の六三〇億立方メートルのガスをギリシャとの国境にあるハブまで供給するというものだ。そこから南欧にいるロシアの顧客に配分される。

また、ブルー・ストリーム経由でトルコが購入するロシア産ガスの一五年の価格を六％

下げて、付加的に三〇億立方メートルを供給することもロシアは約束した。トルコは、新パイプラインで年間供給される六三〇億立方メートルのうち一四〇億立方メートルをトルコの国内消費に回せると皮算用をはじいている。

トルコは一四年に四八〇億立方メートルのガスを消費したように、ロシアのガスに依存せざるをえない。ウクライナやシリアの問題でロシアの権益を黙認する代償として、ガス価交渉でもプーチンによる六％値引きに満足せず、一五％の値引きを強気で要求するという観測も出ている。

露土のエネルギー分野での協力緊密化の別のシンボルは、メルシンのアックユ原発建設である。ロシアの企業が二〇〇億ドルで造る計画なのだ。原発承認はプーチンのトルコ訪問や新たなトルコ・ストリーム計画の導入と軌を一にしている。

両国はともにEUとの関係を悪化させており、孤立を癒やすために接近している面もある。

とはいえ、新パイプライン計画がトルコをますますロシアと結びつけ、そのエネルギーに依存しすぎれば、米国を刺激することは間違いない。これは中東とユーラシアの新しい地政学的構図で見逃せない要因となるだろう。

（ロシアの新ガス地政学：産経新聞「歴史の交差点」二〇一五年五月二五日付）

エルドアン・トルコ型民主主義の試練

オスマン帝国の栄華を今に伝えるトルコの古都イスタンブールは、日本人も多く訪れる一大観光地である。トルコの観光業は、毎年三〇〇億ドル（約三兆円）の収入を誇っていた。しかし、「イスラム国」やクルディスタン労働者党（ＰＫＫ）との軍事対決によって、各地にテロと暴力を蔓延《まんえん》させた結果、日本人もトルコ観光を敬遠するようになった。二〇一六年六月二八日、イスタンブールの国際空港で四〇人以上が死亡した「イスラム国」の自爆テロは記憶に新しい。年間約四〇〇万人の観光客が来ていた隣国のロシアともシリア問題で関係が悪化し、観光収入の激減と経済制裁を招いた。

一六年七月一五日から一六日にかけてトルコで起きた国防軍の一部によるクーデター未遂は、歴史の大きな分岐点となった。もし政変が成功していたなら、シリアやイラクはもとよりイエメンやリビアのように、国民の分裂や宗派・民族間の衝突がトルコで起きた可能性も否定できない。

軍の統帥の乱れは、クルド民族問題や「イスラム国」のテロに対処できないまま、国内対立をシリア・イラク型の内戦に変質させる危険もあった。最悪のシナリオは、既に二七〇万人のシリア難民を抱えるトルコが混乱し、自らの難民を発生させ、中東と欧州の複合危機をますます複雑に結合させることである。

選挙で正統性を得たエルドアン大統領の文民政権を二〇世紀型の軍事的独裁で置き換えていたなら、トルコは恐るべき内戦とテロの拡大する二一世紀中東の悪《あ》しきモデルになっていたかもしれない。

政変が失敗した大きな要因は、ソ連末期の一九九一年の反ゴルバチョフ派政変に反対したモスクワ住民のように、イスタンブール市民も戦車の前に立ちはだかったからだ。反乱軍の将兵も降伏した点は、シリアの悲劇に象徴される「アラブの春」の帰結とは異質な、トルコ民主主義の成熟度を示している。

エルドアン大統領は、ビデオ通話サービス「フェイスタイム」の携帯アプリを民放テレビに結合させて、国民に抵抗を呼びかけ、議会制民主主義の擁護を訴えることに成功した。民主主義国家の政治家として必要な資質と勇気を証明したともいえる。

にもかかわらず、米欧による彼のリーダーシップへの評価は必ずしも高くない。それは、米欧の政府と世論が世俗主義の守護者を自任するトルコ軍を民主主義の担い手だと「誤解」する反面、イスラム主義に淵源《えんげん》を持ち、エジプトのムスリム同胞団とモルシ前大統領に親近感を抱くエルドアンを民主主義から遠い存在と考えたからだろう。

現代トルコ史上、初めて文民統制を実現させた大統領

今回のクーデター未遂について、米欧メディアには、世俗主義維持のために立ち上がった反乱軍に共感し、イスラム化を強権的に進める大統領に不信を示すといったステレオタイプな見方から来る倒錯した報道が見られた。

しかし、トルコの初代大統領ケマル・アタテュルクが唱えた政治と宗教の分離という世俗主義は、権力基盤の軍と連携したアタテュルクの共和人民党による一党独裁を支える、力ずくの権威主義でもあった。

第二次世界大戦後、多党制が導入されたトルコでは、軍がますます世俗主義の維持に使命感を強め、イスラム信仰に忠実な市民に警戒心を抱いてきた。

イスラムの倫理観を政治でも重視したり、世俗主義の軌道に沿わずにカオスを生んだ政権が出現すると、軍はおおむね一〇年の周期で政変を起こした。軍はほぼ結束して、一九

六〇年、七一年、八〇年、九七年、二〇〇七年に政変に訴え、時に首相を更迭し非常事態を宣言してきた。

これは、世俗主義護持の名分に隠れた軍の特権維持の方策であり、民主主義の基盤たる選挙結果、つまり民意の否認につながった。

アタテュルク主義とナショナリズムを体した世俗主義の理念は、欧州連合（ＥＵ）で優勢な世俗主義のリベラリズムによる民主的政治体制とは似て非なるものだった。

エルドアンは民意を背景に政権基盤を強化し、政党政治や民意に優越する軍のエリート権威主義を現代トルコ史上、初めて否定し、文民統制を実現させた大統領に他ならない。〇二年以来、総選挙で連勝してきたエルドアンの公正発展党（ＡＫＰ）は、一五年一一月の選挙では四九・五％の得票率だった反面、それを上回る有権者の五〇・五％が彼に反対した。彼が次第に強権姿勢を強め、その一族に腐敗や汚職の臭いがするのも事実である。

とはいえ、今やトルコ最大の脅威は、テロがＰＫＫや「イスラム国」絡みの内戦に発展して国民国家の枠を壊すことだ。選挙という民主的な政治プロセスを尊重せずに、統制のとれない反乱軍が政変を起こしても、それは二一世紀のトルコを過去に逆行させるものでしかない。

民主主義は有権者が「正しい選択」をするとは限らないシステムである。むしろ、政党政治による政策やリーダーシップの過ちを修正できるメカニズムこそ、民主主義の存在意義なのだ。エルドアンが選ばれてきた投票結果は、強欲な独裁者による「治安国家」や軍の「全体国家」よりも政治選択としてましだったからだろう。

だが、七月政変を見事に阻止した大統領がトルコ社会全体で進めるその後の大粛清の波は、逆にトルコの国益と民主主義を大いに損なう危険性を持った。

幸いにエルドアンは、政変未遂前後にロシアやイスラエルとの関係正常化に踏み切り、国際的な孤立にピリオドを打ったものの、米国との関係は、彼が政変の黒幕と断じる米国在住の穏健派イスラム組織指導者、ギュレン師の処遇をめぐって微妙なままだ。

師は、かつて世俗主義の国是とイスラム主義の精神との調和を求め、エルドアンの盟友だった。しかし大統領は、ギュレン師が軍人から行政官僚や法曹人、学者・言論人に及ぶ多面的なエリートを基盤に「並行する国家・政治体制」を作った嫌疑から、米国に引き渡しを求めた。

国内では、ギュレン派の軍人や公務員の粛清を万単位で行っている。懸念されるのは、政治任命されるその後任たちが優秀な人材とは限らないことだ。

エルドアンは今、自らの体制強化のために統治機構と国防軍を弱体化させる逆説的な政策を進めている。加えて、廃止された死刑を復活させ、政変首謀者らに遡及《そきゅう》的に適用するなら、彼が受け入れたEU加盟条件を自ら否定することになる。

エルドアンの闘いが、トルコの独特な民主主義を皮肉にも自己清算する結果になれば、トルコの国家としての力は大きく失われる。それは、イラン、サウジアラビアの覇権争いが続く中東地政学の構図を激変させるのみならず、欧州の秩序にも多大な影響を与えるだろう。

（クーデター未遂：読売新聞「地球を読む」二〇一六年八月二八日付）

北朝鮮と中東の「非対称的エスカレーション」

古代ギリシャの歴史家ヘロドトス以来、政治を動かす代表的政体として、独裁政と寡頭《かとう》政と民主政が挙げられてきた。ペルシャ人は責任を問われない君主の独裁を選び取り、スパルタ人は度し難い貴族の寡頭政を好み、アテナイ（アテネ）人は混じり気なしの自治の民主政を受け入れた。

それぞれ失敗すると、独裁政ではその無責任さが暴力を、寡頭政ではその図々《ずうずう》しさが横柄さを、民主政ではその平等が無秩序を生み出す、とヘロドトスの約五世紀後を生きた哲学者プルタルコスは論じている。

確かに世界史では、政治家に冷静な思慮分別が欠如すると、極端な姿勢や政策が生まれ、しばしば深刻な政治危機をもたらしてきた。プルタルコスの指摘は、本質的に今の北東アジアの国々にも当てはまるのではないか。

北朝鮮の指導者、金正恩《キムジョンウン》の冷酷な独裁政治は、核実験やミサイルによる無責任な軍事挑発を戦争の瀬戸際まで追求している。

習近平国家主席と中国共産党の寡頭エリート支配は、東・南シナ海における無分別な国際法無視や他国の領土領海侵犯を繰り返して恥じない。その反面、北朝鮮の核・ミサイル開発に寛容すぎたあまり、中国の安全保障さえ究極的に脅かす力を北朝鮮に与えてしまった。

平等主義と絶対平和主義を至上の価値観に高めがちな日本は、安保法制の整備さえ否定する無政府的思考を一部の政党や市民の中に生んだ。それでも、北朝鮮の脅威に国家・国民として立ち向かう意味は、安保法制成立に反対した民進党の分裂を代償に、今回（二〇一七年）衆院選の論点になっている。

三つの政体の分類は、ヘロドトスやプルタルコスが歴史の素材とした中東、ことに混迷のシリアの未来を左右する三国にも当てはまるだろう。ソビエト共産主義や国家保安委員会（KGB）の暴力性と秘密性を踏襲したプーチン露大統領の「独裁政」は、国連主導のシリア和平を斥《しりぞ》け、独自のユーラシア地政学に立脚した中東での権益拡大を譲ろうとしない。ハメネイ最高指導者とロハニ大統領らによるイランの「寡頭政」は、内部対立をはらみながら、「新月の弧」ともいうべき勢力圏を創り上げることに成功した。テヘランからバグダード、ダマスカスからシリア地中海岸タルトゥスやレバノンのベイルートに至るイスラム教シーア派の三日月地帯である。

他方、議会制民主主義が久しく保たれ、中東では稀有《けう》な法の支配が確立していたトルコの「民主政」では、エルドアン大統領の政権長期化によってポピュリズムと衆愚政治の色彩が強まっている。

北朝鮮の「非対称的エスカレーション」戦略

北東アジアの北朝鮮と中東のシリアで並行する大危機には、大きな違いが一つある。それは、北朝鮮が核と中長距離ミサイルを保有する現実によって、通常兵器次元の劣勢を解消し、少なくとも一度は核兵器を先制使用できる立場を獲得したことだ。

米核戦略専門家のビピン・ナラン氏によれば、通常兵器の攻撃に対して核兵器を使うと威嚇する「非対称的エスカレーション」と呼ばれる考え方は、冷戦期にフランスがソ連に、その後もパキスタンがインドに対して採用した戦略だ。

しかし、中東では、核保有国とみられるイスラエルや、核兵器開発疑惑を持たれるイランは、北朝鮮のように他国を核で公然と恫喝《どうかつ》はしない。今のところ、中東での核の保有と開発は国家理性によって管理されており、北朝鮮のように核を使用するか、さもなければ政治体制が崩壊するかのジレンマを犯すことはない。

もっともイスラエルは、自国の核保有については明言しないまま、域内の他国の核ミサイル開発を許さず、空爆や破壊工作で警告してきた。二〇一七年九月七日、シリア中部ハマ郊外のミサイル製造工場とみられるアサド政権軍施設が攻撃された。これは、かつてイラク、シリアの核濃縮施設を攻撃した戦略の応用を思わせる。イスラエルは、アサド政権を支援する宿敵イランがシリアやレバノン領内で最新兵器の工場を建設していると警戒を強め、それを許さないとの明確なシグナルを送ったのだ。

「予防は治療に優《まさ》り、脅威はつぼみのうちに摘み取るのが長期的には望ましい」（ヤドリン元イスラエル軍諜報《ちょうほう》局長官）という論理である。春秋の筆法をもってすれば、米国や日本はこの真理に鈍感だったために、いま北朝鮮の核恫喝に悩む結果になったと言えるのかもしれない。

しかしイスラエルも、核開発を進める地域大国イランを相手にすると、その戦略的脅威を除く直接軍事攻撃には踏み切れなかった。米国や日本が北朝鮮に圧力の極限まで制裁を実行しているのは、イスラエルがイランに慎重だった理由とよく似ている。現実に核兵器を保有する北朝鮮や核施設を持つイランに対し、イスラエルが実験炉レベルだったイラクやシリアを容易に攻撃したような手法を用いることは困難なのだ。

注目すべきは、シリアに防空システムを張り巡らすロシアの反応である。

ロシアはなぜ、防空地域内のハマ郊外に対するイスラエル軍の攻撃に沈黙を保ったのか。地中海に面したタルトゥス軍港には、イスラエル、トルコ、イラクなどを四〇〇キロメートルの射程でとらえるＳ４００ミサイル防空システムが設置されている。ロシアはイスラエルのシリア軍施設攻撃がイランへの警告であり、ロシアへの攻撃でないことを事前に諒解《りょうかい》していたのだろう。

一連の展開と対応を見れば、中東では、域内外の諸国家が個々の利益を追求し、時に武力が行使されるパワーゲームを繰り広げながらも、互いに警告の意味を理解し、行き過ぎた行動を自制する一定のルールが働いていることがわかる。地政学的にも陸続きで当事者が狭い範囲でひしめきあう中東固有の特殊性とも言える。

ただ、その中東にも新たな変容が起きた。九月下旬、イラク北部クルド自治区でクルド人の九二％超が住民投票で独立に賛成した結果、現在の中東地図が変容する可能性が現れたことだ。

シリアやトルコでもクルド人自立の動きが高まると、中央政府を刺激するだけではない。イラクにおけるクルド国家の分離独立はすぐに実現するとは思われない。だが、住民投票の結果を盾に独立の正当性を訴える動きが、「イスラム国」掃討作戦で米国の支援を受け、存在感を増したシリアのクルド武装組織やトルコ国内のクルド人分離運動と結合すれば、旧来の中東秩序を激変させる新しい紛争の始まりを予兆させよう。中東のさらなる試練である。

古代、覇権を失ったある独裁者は、無念の運命を呪い、「あなたは私の焔《ほのお》を煽《あお》りたて、そして私を灰にしようとする」と述べた。北朝鮮の金正恩は挑発をエスカレートさせる原因をトランプ大統領の発言に求めている。北東アジアで偶発的に戦争を起こさないためにも、中東の歴史と現実から学ぶべき点は多い。

（北朝鮮と中東：読売新聞「地球を読む」二〇一七年一〇月一五日付）

手腕の異なる中東の独裁者たち

トルコのエルドアン大統領は、二〇一八年六月に五二％の高得票率で再選された。二〇二三年までの任期である。同氏は、イランのハメネイ最高指導者とともに中東屈指の独裁者になるという観測が欧米あたりから上がっている。しかし、投票用紙の不正処理があったとしても、エルドアンは少なくとも選挙民の三二％に強固な支持基盤を持っている。そのうえ、最大都市のイスタンブール市長や首相など政治家として三〇年間のキャリアを誇り、一五年間は事実上の国政トップの地位にあった。市長として都市インフラが破綻寸前の街を、欧亜にまたがるメガロポリスとして蘇生《そせい》させた実績や、トルコをG20有数の経済強国に育てた首相としての手腕は、ハメネイ師にはないものだ。

もし、イスラム革命の指導者、ホメイニ師がハメネイ師を後継者に指名しなければ、ほとんどのイラン人はその名を知ることもなかっただろう。そのホメイニ師も、フランスなど海外亡命中にシャー（国王）の王朝下で選挙が行われていたとしても、彼に投票するイラン人は五％から一〇％程度にとどまったという分析もある。

この見方によれば、ホメイニ師は、シャーが権力を放棄し軍が中立を宣言するなか、街中に放り出された宝石箱を進んで拾い上げたにすぎない。軍を含めて、どの既成政党も左翼組織も宝石箱を奪わなかっただけだ（アミール・ターヘリー『アッシャルクル・アウサト』六月二九日付）。

ホメイニ師は、イスラム主義者からマオイスト（毛派）、イスラム・マルクス主義者に至るまですべての潮流の語彙や運動形態を吸収した特異な宗教権威主義者であった。革命は人びとに財産を与えるためでなく、シーア派の大義のために殉教を促すものなのである。外国との戦争で死亡したイラン人は一〇〇万人以上に達したのに、エルドアンがクルディスタン労働者党（ＰＫＫ）との戦いやシリア内戦への介入でトルコ人に強いた犠牲は数千人にとどまっている。

エルドアンは地方都市と農村部に利益再配分を図るポピュリズムとリアリズムの徒ではあるが、革命を奇貨として親族や支持者に堂々と国家財産を分配したシーア派宗教者ほどの大胆な政治的シュールレアリスムには徹しきれていない。イランからトルコへ亡命するか避難する人口が一五〇万人にもなるのに、トルコからイランに出国するトルコ人は一人もいないのは、どこの世界でも基本的に「自由」の理解に格別の理屈を必要としないことを意味する。

それにしても、大統領や国会議員への立候補資格を審査するイランと違って、多党制政治と各種立候補の自由を認めるトルコでは、大統領と国会内多数派との間にねじれも起きかねないほど、中東では珍しく民主主義の試行や実験が行われてきた。これと比べるなら、アラブの春の陣痛に耐えながら、旧体制の復活やその亜種の創成を導いただけのアラブ人にとって、トルコとイランの存在感はひときわ眩《まぶ》しいのではないだろうか。

（中東　手腕異なる独裁者：産経新聞「歴史の交差点」二〇一八年七月二三日付）

トランプはゲーリー・クーパーになれない

旧臘《きゅうろう》（二〇一八年一二月）に起きた自衛隊機へのレーダー照射問題や、徴用工判決による日本企業の資産差し押さえをめぐり、日韓関係はこれまでとは位相の違う危機に陥っている。今のところ米国には、同盟国間の問題に介入して調整を図る意志がなさそうだ。こうした姿勢はトランプ大統領がほぼ同時期に発表したシリアからの米軍撤退計画や、年が明けてから暴露されたＮＡＴＯ脱退の構想とも共通した面がある。

米国の動きに一番困惑しているのは、日本やＥＵであろう。両者とも歴史と政治の両面でそれぞれ厄介な韓国やロシアとの関係がこじれそうになると、暗黙のうちに米国が乗り出して問題をそれとなく棚上げする労をとってくれたからだ。米国はさながら名画「真昼の決闘」のゲーリー・クーパーであり、世界はそれを当然と考えてきた（アミール・ターヘリー『アッシャルクル・アウサト』一月一一日付）。

しかし、国や場所によっては米軍の駐屯に感謝もせず、負担をしたがらないとあれば、トランプのような動きが生じるのも予想できたことである。

とはいえ、いざトランプが米国民ファーストの「一国平和主義」を掲げると、モンロー主義（一九世紀米国の孤立主義）への回帰として批判する人々も海外で増える一方なのだ。ウクライナ・シリア情勢でロシアの攻勢を受けるＥＵやアラブの国々は、トランプの姿勢に不平を漏らす。他方、韓国の非理性的対応を直視するよりも日韓友好絶対モードの超現実的世界に浸る一部日本人は、「米国が助けてくれない」とお門違いの反発をしているのではないか。

しかし「真昼の決闘」のように、他国のために「銃を使うゲーリー・クーパー」は、正義や秩序の名分とはいえ、犠牲者を出す米国人にとって心地よいものではない。人権や民主化を語りながらイランの反体制デモやシリアのアサド大統領による毒ガス使用に沈黙したオバマ前大統領や、時代をさかのぼれば東中欧をスターリンの毒牙に委ねたフランクリン・ルーズベルトにしても、独裁者による現地市民への抑圧や人権侵害を無視した点では、トランプと同じかそれ以上の〝偽善〟にあふれている。

他方、オバマとトランプがシリアで地上軍部隊として頼りにしたクルド人をプーチン大統領との取引で見捨てるとすれば、その時こそトランプは強く批判されるべきではないか。トランプは複雑化・不安定化した世界を導く戦略がなく、その動揺をむしろ促進することになるからだ。派手なジェスチャーは戦略の代用にはならない。

トランプはクーパーになれそうにもない。クーパーにはたとえ自分に冷たくても市民と社会正義のために立ち上がり、悪漢を懲らしめるという具体的な選択肢があった。勧善懲悪の結果、クーパーは新妻とともに新天地に旅立つ。日本や世界が米国に期待するクーパーの役割を果たさないといって、トランプだけを批判するのは見当違いである。日本国民の利益と自衛隊員の安全を守るのはまず日本政府の仕事でなければならない。

（トランプ氏の教訓：産経新聞「歴史の交差点」二〇一九年一月二一日付）

バイデンを待つ「新中東複合危機」

来年（二〇二一年）一月就任予定のバイデン米次期大統領は、逆説的ながら、外交安全保障の一部では、トランプ大統領路線との差異をことさらに意識する必要はあるまい。例えば、ロシア関係なら、東ウクライナの親露国家を認めないウクライナ政府の立場をトランプ同様、支持すればよいのだ。

しかし、民族・宗教・宗派が入り組んでいる中東の複合危機に際しては、まさにトランプのせいでバイデンが新たに決断すべき要素が多く、実際、相当な苦悩を強いられよう。

トランプが一月中旬までの駐留米軍削減を決めたアフガニスタンでは、旧支配勢力タリバンやイスラム過激派組織「イスラム国」がなお活動し、アフガン安定のみならず中央アジア諸国の脅威となっている。

他方、バイデンが前向きに考えるイラン核合意（二〇一五年）への米国の復帰は、一一月末のイラン人核科学者殺害事件のせいですぐに進められなくなった。イラン側はイスラエルの関与を主張しており、米軍による一月のイラン革命防衛隊司令官暗殺事件と同様、ロハニ大統領が米国と妥協を図る環境が損なわれた。バイデンの対イラン接近に、イスラエルがブレーキをかける条件が整ったからだ。

バイデンが向き合う中東情勢は、トランプ政権の四年を経たことで、全体として以前の域内政治の構図や力学と変わったものになる。それはもはや、「新中東」と呼ぶべきものかもしれない。

第一に、中東問題の基軸であるイスラエル対アラブという基本構図は、トランプ政権が腐心したイスラエル・サウジアラビア協力の促進、アラブ首長国連邦、スーダンなどとイスラエルとの関係正常化によって、パレスチナ独立国家樹立やユダヤ人入植地の撤去といった中東和平の根幹を有名無実にした。

第二に、シリア内戦に象徴されるアラブの一体性の消失である。レバノン、シリア、イラクからイランに至るアラブの弧が「シーア派の弧」と化し、オバマ・トランプ両米政権の不作為によってシリアはロシアの権益圏に入った。

第三に、シリア内戦とクルド問題に介入したトルコが、紛争解決の非敵対的パートナーたる特別の地位を、ロシアやイランに認めさせた。エルドアン大統領はオスマン帝国の旧領に一定の発言権があることを追認させた形だ。

バイデンの米国を待つ「新中東」の手ごわさがそこにある。

質的に変容する中東問題

「新中東」の出現を示すもう一つの事象が、二〇二〇年九月下旬から一一月上旬まで続いた南カフカスのナゴルノ・カラバフ自治州をめぐるアゼルバイジャンとアルメニアの「六週間戦争」である。

両国の休戦合意をまとめたのがロシアであり、今回の紛争で失地を大幅回復したアゼルバイジャンを強力に軍事支援したのがトルコだった意味は大きい。

一連の経緯が物語るのは、一九世紀以来の英仏露が主役を占めるような、オスマン帝国の処理を軸とする古典的な東方問題から発展した現代の中東問題（パレスチナ分割や湾岸戦争など）が質的に変容したことである。

同時に、英露の対決を軸にした一九世紀のグレートゲームは変質し、英国が去り、米国も不在の中で、ロシア、そしてトルコ、イランの非アラブ地域大国、さらにはイスラエルが、目下の新グレートゲームを演じる役者となった。つまり、これまでの「中東問題」が変容し、新グレートゲームの主役がこれに関わることで、「新中東問題」とも言える様相を呈しているのである。

この「新中東」のパワーゲームに、バイデンは改めて米国を参入させるのだろうか。厄介なのは、イスラエルがアゼルバイジャンの首都バクーに諜報《ちようほう》機関分局を設け、同国に味方したことである。情報収集拠点としての魅力に加え、カスピ海資源へのアクセスが念頭にあるのだろう。

バイデンにとって、民主党の大票田カリフォルニア州、とくに大ロサンゼルスのアルメニア系米国人の存在は無視できるものではない。全米一五〇万人のアルメニア系の四割が住むとされ、これまで州知事や連邦議員も生んでいる。

バイデンがアルメニアをロシアから決別させるには、ナゴルノ・カラバフのアルメニア帰属の実現が絶対条件となるが、六週間戦争の果実をアゼルバイジャンが手放すのは難しいはずだ。またバイデンは、歴代政権が無視できなかった資源国アゼルバイジャンの存在感を直視せざるをえない。

カスピ海地域の原油埋蔵量四八〇億バレルは、日本の年間石油輸入量の四〇年分以上にあたり、同地域の天然ガス埋蔵量二九二兆立方フィートは、日本の年間液化天然ガス（L

NG）輸入量の七〇年分以上にも相当する。しかも、原油の七五％、天然ガスの六七％が沿岸から一六〇キロメートル以内に埋まっているのだ。バイデンならずとも資源の誘惑をしりぞけるのは困難だろう。もし米国が誘いを拒否するなら、ユーラシア経済連合（EU）を担うロシアは無論、巨大経済圏構想「一帯一路」を主導する中国が、いよいよ新グレートゲームひいては「新中東問題」に本格参入するだけのことだ。

しかし、六週間戦争を終わらせたロシアとトルコの共通利益は、シリア情勢と同じく南カフカス情勢でも米国の出番を封じる点にある。プーチン大統領は、最近欧米に接近してロシアと距離を置いたアルメニアのパシニャン首相を見限り、平和維持部隊の名目で新たにアゼルバイジャンに軍を駐屯させ、ソ連解体以来久方ぶりにイランとじかに国境を接する利益を選んだ。

トルコは、国産ドローン兵器を兄弟国家アゼルバイジャンに提供して紛争を有利に決着させ、ロシアにトルコとアゼルバイジャンをつなぐ陸上回廊の設置を認めさせる成果を得た。

ロシアのいう「近い外国」（旧ソ連構成国）、トルコの語るトルコ系（テュルク）民族圏、イランの強調するアゼルバイジャンを含めた湾岸・カスピ海から地中海に至るシーア派ベルト地帯は、いずれも米国の遅すぎた介入を排除する点で共通の利益を持つ。

これまで庇護《ひご》してきたアルメニアを無情に切り捨てたロシアのラブロフ外相は本名セルゲイ・カランタリアンなるアルメニア人であり、歴史的にトルコに対抗してアルメニア人を庇護してきたイランの最高指導者ハメネイ師はアゼリー人（アゼルバイジャン人）である。こうした断面は、人権や民主化といった米国・民主党好みの命題だけでは到底太刀打ちできない、「新中東複合危機」の複雑性を象徴している。

（バイデン氏の試練：読売新聞「地球を読む」二〇二〇年一二月六日付）

台湾有事という外交試練への覚悟

去る二〇二一年一〇月八日の国会で、岸田文雄首相が就任以来はじめての所信表明演説に臨んだ。本稿は一〇月三一日に投開票が予定されている衆議院選挙の前に執筆しているが、よほどのことがなければ政権交代が起きるとは考えにくい。これからの日本の政治外交の針路は、岸田首相の所信表明演説の内容をベースに議論されていくだろう。

岸田首相への評価は本稿後半で語りたいが、まずは外交面の課題について考えてみたい。

コロナ禍以降、毎日のように国内の感染者数が取り沙汰されるなど、私たちの目線はどうしても短期的視野に陥《おちい》りがちである。もちろんコロナ対策はきわめて重要だが、一方で日本を巡る国際情勢は依然として予断を許さない状況にある。内政とともに世界における日本としていかにこの苛酷な時代を生きていくのか、並行して考えなければならない。

「わが国の外交・安全保障政策の基軸は日米同盟です。私が先頭に立って、インド太平洋地域、そして世界の平和と繁栄の礎である日米同盟を更なる高みへと引き上げていきます」

　これは岸田首相の所信表明演説の一節だ。日本の外交はたしかに日米同盟が基軸であるべきだが、問題なのは、その同盟国アメリカの現状ではないだろうか。以下ではまず、アメリカの中東戦略とその挫折を概括していきたい。

　バイデン大統領は就任以来、二つのイシューを優先事項として掲げてきた。すなわち中国問題と地球環境問題である。本来であればこの二つの課題に心血を注ぎたいのだが、それを阻害しているのが中東情勢である。バイデン自身の中東戦略は基本的にオバマ元大統領のそれと通底しており、できるかぎり早く中東の束縛から離脱したいという問題意識をもつ。これはつまるところ、アメリカが中東問題に足をすくわれているかぎり、日本にとり最重要のイシューである中国問題が疎《おろそ》かになる可能性を否定できないということだ。

アメリカが八月末までの完全撤退を進めた今夏（二〇二一年）、タリバンは瞬《また》く間にアフガニスタン全土を制圧した。もちろん、アメリカといえども無策でアフガニスタンを去ったわけではない。たとえば約八〇〇億ドルもの資金を軍再建支援に投入したが、アフガニスタンは急速に崩壊した。公称三〇万人の同国軍人の員数には多くの「幽霊兵士」が存在したし、武器の国内外への横流しも珍しくない。また今回の騒乱では、部族や民族の違いを理由に、自分の出身地域以外では戦わないという兵士が少なくなかった。

結局のところ、アフガニスタン軍の兵士には戦うためのモチベーションが希薄だったのだろう。戦場で兵士たちを駆り立てるものといえば、国家への忠誠心か市民としての責任感、あるいは職務への義務感だが、アフガニスタン軍はいずれも欠落していた。あるいはイスラム教への信仰心がモチベーションになるかもしれない。しかし、アフガニスタン政府自体に安全保障を高めようという意識が弱いため、地方軍閥はタリバンと取引をして寝返ったのである。

この件にみられるように、バイデン大統領の中東撤退という目標は正しかったが、そのプロセスはおおまかすぎて、問題が山積していた。アメリカはテロ絶滅のためにアフガニスタンに関与しはじめたのに、最終的にはテロが発生・増加する気配のなかで退《しりぞ》いた。一〇月八日には、ＩＳ系の組織が七〇人以上の命を奪う自爆テロを起こしている。

日本政府としても国際社会の一員として、中東問題を他人事《ひとごと》だと頬かむりを決め込むことは許されない。アフガニスタンが安定を取り戻すことは、中東や中央アジア地域のみならず、世界全体の平和に寄与し、国際社会のテロの根絶・防止にもつながる。

先見の明があった二〇年前の日本政府

ここで紹介したいのが二〇〇二年の事例である。二〇〇一年九月一一日に起きたアメリカ同時多発テロから四カ月後の二〇〇二年一月、日本で復興プロセス開始の契機となる「アフガニスタン復興支援国際会議（東京会議）」が開催された。そしてこの会議の内容をふまえて総理官邸から派遣されたのが、アフガニスタン復興支援調査合同ミッションである。当時の外務省は田中眞紀子外相のもとで混乱しており、外交は小泉純一郎首相と福田康夫官房長官の対外関係タスクフォースが切り盛りしていた。合同ミッションは、官邸で内閣官房参与を務めていた岡本行夫《ゆきお》氏をはじめとしたタスクフォースのメンバーとして、現在（二〇二一年時点）はＪＩＣＡ（独立行政法人国際協力機構）の理事長を務める北岡伸一氏、通産事務次官などを務めた渡辺修氏らと並んで、私も名を連ねていた。

当時の日本政府には相当に先見の明があり、外交安全保障や開発支援に関わる問題だけではなく、アフガニスタンの女性支援に関する懇談会も合同ミッションに加わっていた。国内が戦乱状態に陥ったとき、戦場に立つ男性のほうが戦死する割合が高いため、復興で果たす女性の役割が大きくなる。だからこそ日本政府は、アフガニスタンの復興と開発過程の支援において、女性活躍の視点をいち早く打ち出し、「女性の教育や婚姻についてどう考えるか」「女性の自由を普及するためには何が可能か」などが検討された。実際にアフガニスタンではその後、女性の権利が拡大して、街頭でデモ集会をする光景まで見られるようになった。

いま再びタリバンの支配下に置かれたアフガニスタンでは、せっかく獲得した女性の権利が危ぶまれている。中等教育から女子生徒・教員が排除され、男子生徒のみが登校を指示されたとも聞く。女子を隔離して教育するという酷《ひど》い話だが、あるいは教育そのものさえ否定する強い流れもある。これまで日本が行なってきた復興支援の全体は難民再定住支援や地雷除去、そしてメディアインフラ、教育、保健医療の充実など多岐《たき》にわたり、二〇二一年までの援助額は七五〇〇億円規模にのぼる。それに加えて、技術協力も続けてきた。岸田政権においても、こうした国際貢献の姿勢は堅持すべきであり、二〇〇二年の東京会議とそれをふまえた合同ミッションの精神を、とくに新しい世代にも受け継いでほしい。暫定政権が女性や子どもの人権に対してどのような態度をとるか、国際社会の一員として注視しなければならない。

いずれにしても、中東が依然として混迷をきわめるのは間違いない。一〇月一〇日にはイラクで総選挙が行なわれて反米シーア派のムクタダー・サドル師派が勝利をおさめ、やがて米軍撤退が強く求められるだろう。シリア危機にしても、おそらくは遠くないうちに現政権側に優位に収拾されるはずだ。そうなればシリアはイラクに干渉するはずで、ここにイランという厄介なファクターまで関わってくる。中東危機に終わりはみえず、アメリカはアフガニスタン撤退以降も中東問題に足を引っ張られる。

ここで難しくなるのが、中国問題である。アメリカも間違いなく最重要のイシューだと認識しているが、それでもやはり、危機感を間近で抱いている日本が、主体的な責任意識で危険・危機の緩和に努力して然《しか》るべきではないだろうか。

直接の日中関係は、いまは意外なことに正面から荒れているわけではない。もちろん、尖閣諸島という中国が懸案とする「問題」はあるが、日本からすれば主権国家として固有の領土であるという立場を主張し続ける姿勢にいささかも揺るぎはない。中国が実態的に領土を奪おうという行為に出るまでは、政治外交のリアリズムの観点からすれば直《ただ》ちに具体的問題になることはない。

それよりも問題は、いま起きている中台危機あるいは台湾海峡危機であろう。習近平国家主席は一〇月九日の辛亥《しんがい》革命一一〇周年記念大会において、台湾の「統一」を「果たさなければならない」と述べた。現に中国は台湾が設定した防空識別圏に記録的な数の軍機を連日のように送り込んでおり、一〇月六日には台湾の国防部（国防省）トップが、台中関係はここ四〇年で最悪の緊張状態にあると語った。

一つの転換期になると指摘されているのが、二〇二五年である。日米はじめ世界が注視するなかでは幾分《いくぶん》かは慎重になるだろうが、中国が台湾に一国二制度を適用する、という言葉を信じる人間はまず日本や欧米にはいないだろう。香港では保証されていた自由や制度が容易《たやす》く蹂躙されたし、新疆ウイグル自治区あるいはチベットの例を思い浮かべればいい。

ウイグルと中国とのあいだの相克《そうこく》の歴史は深い。地政学的にユーラシア大陸の中心という重要な場所に居住するウイグル民族は、中国にとって民族的・宗教的・文化的・言語的に漢民族とは異質な集団であった。それゆえに一世紀の後漢の時代、班超《はんちょう》という文武に優秀な官吏が西域《せいいき》に送られ、いまのヨーロッパにつながる東西の玄関口として押さえていた。班超は「魚は清き水には棲《す》まず」という統治方法を採り、現地民に寛容な態度を示すことで、後漢の安定した統治に成功してきた。しかし、問題はその後任の任尚《じんしょう》であった。彼は班超の助言も聞かずに、苛烈な統治政策で西域を制圧しようとした。まさにいまの習近平政権と同じ手法であり、案の定、ウイグルの人びとの反乱・反発は止まず、西域は現在に至る不安定な地域の代名詞にもなった。

　民族の力や存続能力は尋常ならざる弾力性をもっており、押さえつけようとしても簡単に事が済むものではない。しかし習近平は、豊富な経験をもつ中国の歴史はもとより世界史から教訓を得ることに関心がないらしい。いまもウイグル自治区やチベット、香港を力ずくで押さえつけ、今度はその触手を台湾にまで伸ばそうとしている。香港人の人権をあれほど乱暴に扱った習近平が、台湾には一国二制度を真摯《しんし》に適用するなど寛大な姿勢を示すとは到底思えないというのが常識というものだ。

　台湾の民主主義やそれを支援する国々からすれば、中国のこうした振る舞いは、むしろより態度を硬化させる材料にもなる。比較可能な歴史の教訓を紹介すると、幕末の徳川幕府もまた間違いを繰り返した組織だったことである。あの時代、長州藩が徹底的に徳川幕府に抗戦したのは、幕府による水戸天狗党《てんぐとう》への苛烈な仕打ちをみていたからだった。天狗党は幕府に反乱したのちに越前に辿り着いて加賀藩・永原甚七郎《ながはらじんしちろう》に投降した。この時点では武士としての名誉ある対応を受けたが、その後、幕府に移送されると話が違った。若年寄・田沼意尊《おきたか》の判断で、御三家である水戸家の家老も名を連ねていた一行をすぐさま鰊蔵《にしんぐら》に入れ、切腹の機会も与えられずに一人ひとり斬首された。幕府はそれほど苛烈な政権だというイメージを誤って世間に与えたわけで、だからこそ長州藩をはじめ西国諸藩は断乎《だんこ》たる倒幕の姿勢を示したのだ。

中国が刺激的な政策を採れば採るほど、台湾は抵抗の覚悟を固める。それでも習近平は、本当に侵攻という手段に打って出るというのだろうか。いずれにせよ、台湾有事が現実の事態になれば、尖閣諸島や沖縄までもが巻き込まれる。そのときには再び歴史解釈の問題が生まれ、沖縄に関しては江戸時代の両属状態が取り沙汰されるなど新しい歴史問題さえ発生しかねない。

日本にとって台湾が地政学的かつ経済的に、そして心情的にも、重要な地域であることは論を俟《ま》たない。日台のあいだには交流協会も設けられており、また通商貿易や人的往来も重視されている。もはや「非政府間の実務関係として維持していくつもりである」などの外交上の公式的な建前論だけでは、台湾有事に対処できなくなるだろう。その意味では、現在の日本は外交的に深刻な試練に直面しているといえる。

以上をふまえて、一〇月四日に組閣された岸田内閣の顔ぶれをみると、特筆すべきは茂木敏充外相と岸信夫防衛相を留任させ、また経済安全保障相を新設した点だ。つまりは岸田首相が外交や安全保障を重視していることの裏返しであり、岸田氏は台湾有事をつねに念頭に置いているはずだ。そのうえで、とくに外交に関しては岸田首相が直々に音頭をとるつもりなのではないか。

岸田首相には所属母体である宏池《こうち》会の伝統的な中国人脈がある。しかし、それとともに中国に対しては毅然と対処すべきと考える安倍晋三元首相と麻生太郎自民党副総裁という強い壁が背後にいることも無視できない。すなわち、池田勇人《はやと》首相や大平正芳首相、宮澤喜一首相の時代のような宏池会内閣ではないのである。

もちろん、中国との関係も岸田首相は一つのカードとして用いればいい。そのうえで、かつての直角内閣（中曾根康弘首相が田中角栄元首相に配慮を重ねたためにこう呼ばれた）のように安倍元首相や麻生副総裁のような対中強硬派の声を聞く点は、一部からは傀儡《かいらい》政権という指摘を受けるかもしれないが、私は中国のような大国相手の外交を展開するうえで持続的なバランスのとれた大局観外交につながると考える。

味わい深かった所信表明演説

岸田首相の所信表明演説は、じつに味わい深い内容であった。とりわけ新自由主義からの脱却が注目を集めたが、私が共鳴するのは、彼がその言葉自体は用いていないものの、昔の表現でいうところの「新中間大衆」を社会の核に取り戻す姿勢をみせている点だ。

戦後の日本において資本主義の豊かさと市民社会の繁栄が両立したのは、「あなたは社会のどこに位置すると思いますか」と尋ねられたとき、中流と認識する人びとが多かったからである。つまり戦前でいえば下層に位置していた人びとが、戦後の経済成長で豊かになり、その分だけ、中流が分厚くなったことを意味する。これこそが「新中間大衆」である。

しかし、現在の日本を見渡すと随分《ずいぶん》と中間層が減ってしまった。日本人の感覚に馴染《なじ》んでいた安定的な終身雇用制度を破壊し、非正規雇用を推進する政策を採ったことも要因の一つに挙げられる。たしかに成功する人にはエールを送りたいが、しかし中間層の上下を問わずに厳しい競争原理だけを適用するのは、いかがなものだろうか。

今回のコロナ禍では、医療に関しても社会的地位や金銭の多寡《たか》で治療を受けられる・受けられないという問題が話題になった。その詳細と真偽はしばらく措《お》くとしても、教育などあらゆる分野で同じケースが生まれているに違いない。「上級国民」という言葉も流行したが、たしかにやや倒錯的で一部は僻《ひが》みを含んだ言葉かもしれないが、なるほど、この表現は現在の日本社会の一断面を鋭く突いているのかもしれない。

少なくとも、現在の日本社会が両極分解している実感は多くの読者も抱いているところだろう。私は新中間大衆こそが日本の強みだったと理解しているが、それが分解してしまった結果が、日本の強みにつながっていない。岸田首相はこの点に対して新たな問題意識を示そうとしているからこそ、新自由主義からの脱却や「成長と分配」を掲げているのではないか。

もちろん、資本主義社会とくに自由主義社会において、自由競争は前提条件として欠かせない。競争なくして発展や繁栄はあり得ない。ただし、その大本に据えるべきなのは「自助努力」ではないだろうか。昨今、すぐに共助や公助という言葉が用いられるが、それらは自助の補足要素であるべきだ。先日、台風通過による一時的な物流停滞で、一部の地域では食糧不足が起きた一件について、政府の対応を批判する内容の報道を目にした。

避難生活が何週間、何カ月にも及んだ場合には政府が真摯に対応すべきだ。しかし一日や二日の場合には、各自が災害時に手にとる非常用のバッグを銘々用意するなど、できるかぎりの自助努力を行なうべきではないか。

政府はあらゆる分野において大きな戦略を立てるのが最大の仕事であり使命である。冒頭からやや遠い話として受け止められがちなアフガニスタン情勢に触れたのも、現在の世界情勢の動向を大局的に捉え、それが日本の針路にどう作用し、そのうえでわが国はどのような課題に直面していて、どうそれを乗り越えるべきかを包括的に考えるべきだと思うからだ。中国の問題にせよアメリカ抜きには語れないからこそ、アメリカが置かれている状況にも目配りをする必要がある。そうした前提条件をふまえて、岸田政権が内外の課題に対してどう向き合っていくかを、私たちは注視すべきだ。

そのうえで、私たち自身も世の中の問題を大小にかかわらず政府だけの責任として委任するのではなく、己の為《な》すべき義務に対して真摯に取り組むことが、そのまま市民社会の分厚い強化と国力の増大へとつながる。アフガニスタンでは兵士が国家への忠誠心を欠き、市民が職務への責任感と義務感を欠如していたので国家の崩壊につながった。私たち日本人もアフガニスタンの教訓を重く受け止めるべきだろう。

（台湾危機という外交試練への覚悟：「Ｖｏｉｃｅ」二〇二二年一二月号）

ウクライナ戦争から日本が学ぶ「エスカレーションのジレンマ」

ウクライナの国内外難民は、一〇〇〇万人を超えた。ウクライナの人口四二〇〇万人の四分の一が故郷や住居を去ったことになる（二〇二二年三月二〇日現在）。平和と幸福の日常的光景が一夜にして変わるのは、中東やアフリカでは珍しくない現実であるが、ヨーロッパの人びとも自分たちのすぐ側《そば》で起きた侵略や戦争の悲劇をつぶさに眺めながら、ウクライナ人の苦難について我が身を切られる思いで受け止めているだろう。あるいは、その時に、やはりロシアが関与して悪化したシリア内戦の悲惨さを今更ながらに理解した理性的なヨーロッパ人も多いに違いない。

ロシア軍のウクライナ侵略で勃発したウクライナ戦争の不義は、第一に一般市民の生命を無差別かつ無慈悲に奪うプーチン大統領の残酷な戦争指揮によって際立っている。国連などによれば、激戦地マリウポリなどを除いて、ロシアによる侵略が始まった二月二四日から三月一八日までの間に、市民八四七人が死亡、一三九九人が負傷。驚くべきは、プーチンによる国内メディアの締め付けと報道管制が徹底しており、この不義の侵略を「大義の戦争」だと信じるロシア国民が多いことだ。

しかも、国外をよく知っており戦争の実相を知らぬはずのないスポーツ関係者、たとえばフィギュアスケートのタラソワやプルシェンコのようなスターたちまで、戦争の大義を信じ、国際大会のロシア排除を差別だと言い張っていることだ。プーチンという国家主義者・大スラブ主義者・ロシア帝国主義者の膨張主義的な大国の論理によって、スポーツの政治的中立性を高みから説かれてはたまったものではない。

こうしたロシア人の「特権層」は、言葉のレトリックと過剰な大国意識に酔いすぎているのではないか。ロシアはナポレオンやヒトラーを敵とした祖国解放戦争を再現しているわけではない。ウクライナが国際世論の支持を受けているのは、彼らが国土で祖国防衛戦争をせざるをえない立場にあるからだ。侵略戦争を仕掛けたのが自分たちロシア人だとスポーツ選手、コーチたちが気づくには多分もう少し時間がかかることだろう。

こうしたなかでロシア国内において反戦平和と戦争抗議の声を高く上げた勇気ある市民たち、テレビ画面で真実の直視を呼びかけた国営放送局のマリーナ・オフシャンニコワ制作者の勇気ある使命感は、静かな感動と尊敬心を日本国民の間にも呼び起こしている。

そして、ゼレンスキー大統領とウクライナ国防軍と国民は、いたずらに遠い未来や理想にふけるのでなく、目の前の脅威と危険を除く使命に一致結束して取り組んでいる。ゼレンスキーは現実に政治と軍事を動かすものが何かを理解している点で、歴史の審判では、自分の主観的な思い込みと情念にこだわるプーチンに勝つであろう。いずれこの不幸な戦争が終わったあと、二人のリーダーシップの優劣に貸借勘定がつけられることになる。それはロシアの歴史家の試金石となろう。

しかし、まずは現在のウクライナと世界と日本である。ウクライナ戦争の現時点での教訓は、すでに世界に大きな変化を与えている。三つの点から考えてみよう。

第一は、国際秩序の在り方が転換するということだ。アメリカの覇権がどうなるのか、米中衝突の行方にウクライナ戦争がどのような影響を与えるのだろうか。

第二は、ヨーロッパの地域（潜在的な戦域）における核兵器使用をプーチンが示唆した点である。プーチン大統領が今回、戦術核の使用を匂わせたがために、アメリカのバイデン大統領はじめＮＡＴＯ首脳は、第三次世界大戦に発展するという理由からウクライナへの軍事支援を一定の枠内に封じ込めた。バイデンの思い込みあるいは懸念を見ると、プーチンの核恫喝《どうかつ》が効果を表しているのである。言い換えれば、核保有国が非保有国や格下の国力しかもたない国に対して政治目的や個人的野心を達成するため、核恫喝を仕掛けた場合に、大戦に発展するからという理屈で野心家の自由行動が許されてしまう現実が、ウクライナでいま展開しているのだ。

核恫喝に対抗するエスカレーションをすれば、大戦になるかもしれないというのは、安全保障のジレンマである。いわば「エスカレーションのジレンマ」ともいうべきものだ。この言葉は、国際戦略研究所のジョン・レインの「エスカレーションの罠」から示唆を受けている（*IISS Online Analysis*, 11–3–2022）。

プーチンのように非常に強烈かつ権力行使に禁欲的でない野心家のリーダーが非核保有国に対して核使用を仄《ほの》めかしたとき、それにどう対応するか。これをはねのける具体的道筋や手段については、日本を含めてほとんどの国は思考を停止するか、国内でしか通用しない絶対平和理念への思い込みしか頼るものはなかった。プーチンのいまの事例は、場合によっては、世界を自らの主観的な願望と理想、憎悪に充ちたビジョンだけからみるような、精神の安定と判断の均衡を欠くようなリーダーがこれからも出現することを例証している。

これまでの核保有国同士ならば、片方が核を使えば報復によって原状回復が不可能なほどの打撃を受けることで抑止を実現できるという、マクナマラ元米国防長官が冷戦期に唱えたＭＡＤ（相互確証破壊）という理論を暗黙裡《あんもくり》に受け入れてきた。北朝鮮などを例外とすれば、「核クラブ」への加入にはそれなりの自己責任と倫理観が伴ったのである。インドとパキスタンは戦争をしたこともあるが、戦域で核恫喝をしたことはない。

しかしプーチンは非核保有国に対して、平時における核恫喝を言葉の世界でもてあそんだのではない。戦時という究極の非常時において戦術核の使用をオプションとして打ち上げた点が、バイデンや英国のジョンソン首相をたじろがせ、「エスカレーションのジレンマ」という未知の領域（と彼らが思いこんでいる）の検討や議論さえ避けようとさせている。この点ももしもウクライナがＮＡＴＯ加盟国であれば、集団的自衛権が発動されるはずだった（第五条）。しかし、それは裏を返せばＮＡＴＯの外の事象に対しては、ＮＡＴＯと関係の深い隣接国が強力な侵略を受けても、黙認あるいは傍観を強いられる不条理をいま眼前にしているのである。

第三は、日本の立ち位置である。今回の戦争はウクライナとロシア、あるいはＮＡＴＯとロシアという対立軸のもとで展開されているにせよ、国際的な枠組みでロシアに経済・金融制裁が科され、Ｇ７の一員である日本もそこに加わった。ロシアからすれば、東部軍管区からウラジオストーク経由で戦地に部隊や武器の配置転換をする際に、宗谷海峡や津軽海峡を通過するのは当然なことだ。その積載物などの情報は当然、日本とアメリカも共有し、場合によってはウクライナ政府にも伝達されるだろう。プーチンにとって、日本はウクライナ戦争に十分に関わっているのだ。暫《しばら》くは、北方領土四島の返還交渉や日露間の経済的な相互権益の問題に進展は見込めない。実際に平和条約交渉の打ち切りを一方的に通告してきたが、日本としても当分は忍耐のしどころである。

プーチンの確信の背後にあるアメリカのちぐはぐな外交姿勢

ウクライナ戦争におけるプーチンの蛮行は、たんなる偶然でもなければ「思いつき」でもない。国際世論の反発に関係なく、一方的に武力を用いて、どれほど民間人に犠牲者が出ようとも、自分の望む結果を実現しようとする手法は、スターリン政治体制に由来するＧＰＵ《ゲーペーウー》（国家政治保安部）からＫＧＢ《カーゲーベー》（国家保安委員会）に至る伝統にほかならない。

秩序と権力を維持するためなら、ある民族や地域をまるごと抹消するのはスターリン時代だけでなく、エリツィン大統領やプーチンによる第一次チェチェン戦争と第二次チェチェン戦争でも繰り返された。この二つの戦争は長く続いたのが特徴であり、第一次は一九九四年から九七年、第二次は一九九九年から二〇〇九年にかけて続いた。この国民殲滅《せんめつ》型・都市破壊型の戦争は、今回のウクライナでも再現されており、その長期化と残酷化がますます懸念される。

　さらにプーチンは、二〇〇八年のグルジア（現ジョージア）侵攻や二〇一四年のクリミア併合などの経験から、武力でウクライナの一部領土の併合や共和国の独立承認、NATO加盟希望の撤回と中立化、非武装化などロシアにだけ好都合な政治的結果を得ることが可能だと確信したのだろう。またシリアでのオバマ・トランプ両政権の消極的態度を身をもって経験した歴史も通して、ロシアはアメリカのバイデン政権が最終的にはロシアとの衝突を回避するために「ベタ下り」すると信じるに至ったといえる。

　その意味で、今回のウクライナ戦争はアメリカの責任も少なくない。近年のアメリカ外交のちぐはぐさを象徴するのは、イランとイスラエルに対する態度である。ウクライナ戦争勃発後の三月五日、イスラエルのベネット首相がロシアを訪ね、プーチンと会談したのは記憶に新しい。しかし、その成果は西側諸国の思惑とは異なり、ウクライナ戦争終結を図るための斡旋《あっせん》ではなかった。ゼレンスキー大統領自身がユダヤ系であると公言したように、ウクライナには多くのユダヤ系市民が今でも生活している。イスラエルは国連総会では軍事侵攻を非難しており、ウクライナに人道支援物資を送っている。それゆえにロシアとの首脳会談では多少なりとも調停に向けて働きかけることも期待されたが、イスラエルにその動きはなく、プーチンに面と向かって強い発言をしたともいえない。

理由は二つある。一つはイスラエルの安全保障にとって最優先事項はシリアにいるイランの革命防衛隊の脅威を最小化することであり、シリアのロシア軍まで敵に回したくないからだ。二つ目は、イスラエル最大の関心事であるイランの核武装問題である。アメリカのバイデン政権は発足以降、イランと対話する姿勢を示していたが、これはイスラエルにとって非常に悪いシナリオにほかならない。そこで、イランとアメリカの接近牽制の一助としたのがロシアである。ゆえに、イスラエルにとってロシアはウクライナ戦争を理由に重要性を下げられない存在であり、今回の戦争でロシアを無条件に非難する態度をとっていないのである。ゼレンスキーが三月二〇日にイスラエル国会でオンライン演説をした際、そのミサイル防空システム「アイアンドーム」の提供を呼びかけたのは、イスラエルのやや二股膏薬《ふたまたごうやく》に似た立ち位置を牽制したかったのだろう。

アメリカの専門家のなかには、イスラエルの姿勢をモラル・ハザード（倫理の欠如）だと批判する者もいるが、当のアメリカがグルジア侵攻やクリミア併合、はたまたシリアにおける化学兵器使用のときに示した態度も改めて問われることになろう。オバマ大統領時代、シリアのアサド政権に対する軍事介入のタイミングが遅れ、大規模な人道的犠牲を招いた過去もある。アメリカの中東・旧ソ連・東欧からの後退の積み重ねを経て、プーチンは超大国としてのロシアの地位を東欧から旧ソ連、黒海周辺から中東にかけた領域において回復できると確信したに違いない。

　ロシアがウクライナで働いているのは、非常に残酷で人道的に許しがたい行為である。これに疑う余地はない。しかし、これまで世界中の人びとが気づかなかったか、あるいは見て見ぬ振りをしてきただけで、第一次・第二次チェチェン戦争やシリアにおける反体制派市民の殺戮によって、プーチンの恐ろしさを十二分に知る機会があったはずだ。にもかかわらず、とくに欧米の政治外交のメインストリームでないせいか、ロシアを放置してきたため、ウクライナの無辜《むこ》の市民が犠牲になる結果をもたらしたのである。

　とくにアメリカは、オバマ政権からロシアあるいはプーチンに対して万事に消極的で受け身の態勢をとり続けてきたのではないか。二〇一五年のイラン核合意は、人権の尊重や武装闘争の支援と挑発の終結を条件に締結されたものといえるが、結局は湾岸諸国やイエメン、シリアなどにおけるイランの積極的な攻勢は収まる気配がない。アメリカの首尾一貫した介入がうまく進まなかった一例であり、残念ながらウクライナ戦争もその新しい例になるのを深く危惧するのである。

自分たち自身に明確な力と意志がなければ自国を守れない

ウクライナの悲劇が「エスカレーションのジレンマ」によって増大している点は冒頭に述べた。アメリカやＮＡＴＯがとにかく衝突を避ける姿勢に終始するならば、同盟や集団安全保障の概念と信頼性はいま一度詳しく議論されることになろう。現にいまや、世界の戦争と平和の基準を設定する主導権と判定の力はプーチンに握られている。国連にしても、拒否権をもつ安全保障理事会の常任理事国が今回のような蛮行に及べば、その瞬間に無力になることが露呈した。国際平和を担保するはずの組織の存在意義が問われるだけでない。プーチンのように、これまでの軍事と政治のバランス、核兵器を主題とすることへの政治家としての禁欲的たしなみをかなぐり捨て、一挙に平和を戦争に転化させるリーダーがこれからも現れないとは限らない。やがては日米安全保障条約のような二国間条約、ＮＡＴＯのような多国間の集団安全保障機構の防御的有効性・政治的信頼性・軍事的エスカレーションの回避的均衡性の定義と意味合いが入念に検討されるのではないか。

アメリカがウクライナへの戦闘機供与を拒否したのは、「エスカレーションのジレンマ」にはまるからだという理屈が繰り返されている。「見捨てた」のではなく、あくまでもＮＡＴＯ非加盟国だからだと説明されるのだ。たしかに法的な規定をそのまま受け入れるなら、防御的性格になじまないＮＡＴＯ域外国についての理屈は十分に通用するかもしれない。しかし、今後、ロシアがポーランドやバルト三国を侵犯し、いきなり核兵器の使用可能性を高め、核恫喝でこれらの国に屈服を強いる事態をまったく排除できるだろうか。少なくとも、今回の戦争を歴史の教訓としてまっすぐ受け止めるなら、アメリカのバイデン大統領やブリンケン国務長官が再び第三次世界大戦を誘発させないため、ロシアとは事を構えない、といったエスカレーションの回避的均衡性に走らないと断定できるのであろうか。ここにＮＡＴＯなり、二国間条約の信頼性と「エスカレーションのジレンマ」に関わる疑問が提起されたところに、プーチンによるウクライナ戦争の普遍的なこわさがある。

さらに象徴的なのは、三月一五日、ポーランド、スロベニア、チェコの首相がキーウを訪問したことだ。彼らからすれば、プーチンの核恫喝によって「自分たちもウクライナと同じ立場に追い込まれるかもしれない」という脅威を認識したのではないか。その懸念を世界に向けて、ウクライナという連帯の現場で暗に発信したかったのではないだろうか。

三国はNATOの一員であるが、ウクライナの今の姿を見て、三人の首相は改めて最終的には自分たち自身に明確な力と意志がなければ自国を守れないと、一国のリーダーとして痛感したはずだ。主権独立国家の独立性や尊厳をかくも容易《たやす》く踏みにじられているウクライナの惨状を前にして、ポーランド、スロベニア、チェコの三カ国はバルト三国とともに歴史的共通点を改めて痛感したはずである。

これらの国々は、過去に祖国を蹂躙された苛酷な歴史体験を持つからだ。ポーランドは三度にわたる国土分割を経験しているが、そのいずれにもロシアが関与している。加えて第二次世界大戦時にも、独ソ不可侵条約附属秘密議定書によりソ連（ロシア）とドイツの間で分割されている。チェコは第二次世界大戦の引き金になったミュンヘン協定（一九三八年）によりズデーテンを割譲させられたが、これはイギリスやフランス、イタリアがドイツと決めたものであり、イギリスの対独宥和《ゆうわ》政策の極致となった。その結果、ヒトラーは西側諸国への要求を際限なくエスカレートさせていくこととなる。スロベニアにしても一九九一年、ユーゴスラビアが解体した際にはいち早く独立主権国家として離脱したが、そもそもユーゴスラビア自体がバルカンの安定性を高めるという理由からつくられた「人工国家」であった。

こうした歴史は、とくにポーランドとチェコからすれば、今のウクライナ問題に対応するNATOの理屈に不安を抱く根拠になる。すなわち、今回プーチンに最初宥和的と見られたドイツやフランス、イギリスへの警戒である。事実、イギリスのジョンソン首相はロシアとは戦えないと公言している。米英がそんな態度である以上、集団安全保障の枠組みの防衛力と信頼性に疑念の目が向けられたとしても当然であろう。とくに先の大戦で悲劇を経験している国々が、「歴史は繰り返される」と危機感を抱いたとしても誰が咎《とが》められるだろうか。

とりわけ問題は、アメリカはじめNATOが進んで「第三次世界大戦への道を歩まないために軍事行動は起こさない」という理屈を掲げている点ではないだろうか。本当に「第三次世界大戦への道」とは、現実的にありうるシナリオなのだろうか。ロシアが「大義なき戦争」に突き進んでいるのはたしかだが、他方で、もしロシアがこれから訪れうる窮境を打開するために大量破壊兵器を本当に使う場合に、使用後の未来を現実的に予測しないのだろうか。そうでなければ、問題はプーチンの心理や病理に関わることになり、その一方的にハードルを上げた要求にすべて屈するほかなくなる。

第三次世界大戦への道とは、まさに世界最終戦争を意味するので、ロシアにしてもプーチンの病理的決断は専門職としての軍の合理的判断を不可欠とするだろう。あらかじめ、「エスカレーションのジレンマ」に自分からはまるのは、多様な選択肢とロシアへの要求を自ら放棄することになる。これは政治家あるいは外交官としての職業的責任と倫理の放棄につながらないだろうか。

今回の危機における最大の問題は、アメリカやＮＡＴＯの合意形成や決断の前に、ロシアのペースで戦争が始まったことである。この事実が重いのは、ロシアのように核を保有する国連安保理の常任理事国が周辺国に侵攻すると、高い確率で別の機会に同様の事態が生じることを示唆していることだ。

たとえば、台湾有事が想定される。習近平主席は大きな関心をもって、プーチンの打ったパッティングの軌跡や曲折を注意深く見ていることだろう。アメリカはじめＮＡＴＯ諸国が域外とはいえウクライナを広い意味で「守る」ことができなければ、防御力と信頼感への懐疑は日本はじめ東アジアにも及ぶであろう。日本としても、ヨーロッパ秩序と国際秩序の劇的転換期に必要なのは、レインのいう「前方防御」（フォワード・ディフェンス）も含めた戦略的概念の検討であろう。わかりやすくいえば、台湾有事を他人事《ひとごと》と考えずに、尖閣有事や沖縄有事を導く導火線もしくは延長線として憂慮する発想を、ウクライナ危機からどう学べるかということだ。一国の国民が家族ぐるみ、子どもぐるみで生命の危険に晒《さら》される人道的危機、生活の基盤とパスポートによって個人と家族の安全を保障する国家が消滅する危機を前にしながら、プーチンの古典的帝国主義じみた膨張主義を抑止する努力に無関心でいてよいものだろうか。

　今回、たしかにアメリカなどはウクライナに武器を援助した。地対空ミサイルのＦＩＭ－92スティンガーはロシアの軍用機に有効であり、携行式多目的ミサイルのＦＧＭ－１４８ジャベリンや対戦車ミサイルＮＬＡＷはロシアの戦車や装甲車両に大きな威力を発揮している。しかし最近のように遠距離からミサイルを無差別に、病院や子どもたちの避難している施設に撃ち込まれては如何《いかん》ともしがたい。ロシアの国際世論をものともせぬ無差別攻撃に戦略・戦術的に変換対応する術《すべ》は、ウクライナにはまだ援助されていないのである。

　わずかな救いは、メルケル前首相の後を継いだドイツのショルツ首相は、精彩を欠く人物と見えたにもかかわらず、二月一五日にモスクワでプーチンと会談したことである。彼は、プーチンの異常な怖さと特異性を一目で見抜いたようだ。常識的な妥協や自由な放置は、むしろ逆効果だと認識したのではないか。それまでのドイツといえば、天然ガスやノルドストリームの問題でロシアとの協調を強調していたにもかかわらず、ショルツはロシアの排除や制裁へと切り替えたのだ。ドイツの動きがヨーロッパを一つにまとめたと見ることもあながち間違いではない。

さらに驚かされたのは、カーネギーヨーロッパ（シンクタンク）のローザ・バルフォア所長が強調するように、ドイツの主要政党が国防政策を大転換したことである。ショルツの連立政権は左派主導だが、二月二七日に発表した新国防政策では国防費の大幅増額に加えて、アメリカとの核共有（ニュークリア・シェアリング）のために最新鋭戦闘機Ｆ35を購入する方針を発表している。すなわち、彼らはロシアの脅威が増大するにつれ国民の危機感が高まるなか、戦後伝統の「何よりも平和主義」を転換したのである。

とりわけ環境と平和を看板にした「緑の党」は国防費増強への反対をとりさげ、社会民主党はブラント元首相以来のロシアへの妥協を図る東方政策を事実上とりさげ、自由民主党は公的債務への反対をとりさげた。連立三党ともにプーチンの攻撃的な対欧政策に対して「とりさげ変革」でおのおのの立ち位置の根本的な修正を図ったのである（*Carnegie Europe*, 8-3-2022）。いずれの党もすぐそこにある危機に対応して根本政策を変えられる緊張感にあふれる政治的センスは、見事ではないか。日本の政党政治は、この緊張感あふれる即応能力と現実感覚に学ぶ点が多いだろう。とくに与党では公明党、野党では立憲民主党の創造的な転換が期待される。

たとえば、これまで北欧で中立主義を掲げてきたスウェーデンや親ソ連・親ロシアながら強力な自主防衛路線を進めてきたフィンランドは、国民世論の支持を受けながらNATO加盟に舵を切った。スウェーデンは、三月一〇日にアンデション首相が「防衛力強化を国内外に示す」と述べたうえで、防衛費を一・三％から二％に引き上げると表明した。世界の安全保障バランスに明確な地殻変動が起きているのは、皮肉なことにウクライナのNATO加盟を阻止するはずのロシアの理不尽な軍事行動が引き起こした結果にほかならない。

日本においても、ウクライナ国民の悲痛な叫びを我が事として受け止めながら、人道支援を充実させるとともに、日本の安全保障環境の総合的な見直しを図る時機が到来したといわねばならない。

（前方防衛と抑止力の新たな意味：「Ｖｏｉｃｅ」二〇二二年五月号）

プーチン大統領「ユーラシア国家」の挫折

「ロシア人は、人類全体の一部を構成するというよりも、世界に大きな教訓を与えるためにだけ存在する民族なのです」（『哲学書簡』外川継男訳）

一九世紀初頭のロシアの思想家、ピョートル・チャアダーエフは、ロシアがアジアと欧州の大きな分かれ目にあり、肘の一方を中国、他方をドイツの上に置いていると述べた。ロシア人は知性と想像力を自らの中に融合し、世界の歴史をロシア文明と結合させる使命を帯びるはずだった。

しかし、ウラジーミル・プーチン大統領も尊敬するピョートル大帝やエカテリーナ二世は、文明の本質たる人間の自由と多様性の尊重をロシアに定着させなかった。プーチンも、ロシアはアジアでも欧州でもなく、その違いを超越したユーラシアとして世界に教訓を与える独特な存在だと自負するかのようだ。

チャアダーエフは、ロシアが欧州より遅れて歴史に登場した分、欧州の犯した過ちを繰り返さない利点に恵まれるはずだと善意から信じた。ところがプーチンは、ロシアが多民族社会の性格を帯びているというユーラシア主義の立場を主張しながら、かつてのロマノフ朝ロシア帝国やソ連の解体で消え去った統一国家としての大ロシア再生のために粗暴な侵略も辞さない。

その再生には、一三世紀のルーシ（前近代ロシア）の中心だったキーウ（キエフ）つまりウクライナ（小ロシア）も含まれる。ベラルーシ（白ロシア）と共にウクライナも偉大なスラブ連邦（大ロシア国家）に加えることが自らの使命だというのだ。政治家としてプーチンは、「軍事行動」の正当性・違法性を世界に弁明する責任もなく、必要なら国連安全保障理事会の常任理事国として拒否権を行使すればよいと考える。ロシアは、欧州やアジアの区分を超越した独特なユーラシア国家として、文明論的使命を軍事的に達成しようとしたのだ。

二〇世紀以降、ロシアは、世界史を転換させる四つの大事件を経験してきた。第一に、ロシアでは一九〇四年から一七年にかけて日露戦争の敗北と、第一次大戦そしてロシア革命があった。ロマノフ朝帝国は解体し、社会主義国家が史上初めて実現したのである。

第二は、独ソ戦（第二次大戦）である。ソ連は大祖国戦争の大義を、戦後東欧の勢力圏化と、スターリン体制の粛清と非人間性の隠蔽《いんぺい》にも利用した。

第三に、八九年の冷戦終結から九一年のソ連解体は、大ロシア国家を分裂させたが、市民的自由と民族共和国独立への道を開いた歴史的意味は大きい。これら三つは、チャアダーエフに倣えば、ロシアが正負の「教訓」を世界史に示した例といえるかもしれない。

ロシア国家を内部から腐食させるシロアリ

第四の大事件である今回のウクライナ侵攻に、歴史の正の教訓を見いだすのは難しい。ウクライナの「非ナチ化」を求めるのは、独ソ戦という大祖国戦争の歪《ゆが》んだアナロジーだろう。だが、いま祖国防衛戦争を進めているのはウクライナの方だ。しかも、フィンランドの力を侮って一九三九年に冬戦争を仕掛けたスターリンの苦戦同様に、プーチンの侵略はウクライナの頑強な抵抗に遭っている。

ウクライナに侵攻したロシア軍を見ると、司馬遷の「命は鴻毛《こうもう》より軽し」という言葉を思い出す（『報任少卿書《じんしょうけいにほうずるしょ》』）。それは、国民あってのプーチンではなく、プーチンあっての国民という独自の国家観のせいである。国民は母なるロシア（プーチン）を守る必要はあっても、母なるロシアの方は必ずしも国民を守らず、若い兵士たちの戦死さえ意に介さない。まさに、オオトリの羽毛よりも軽いのだ。

日本や米国では、国家は国民の自由と権利を守るために存在する。一方、スターリンからプーチンに至るまで、ロシアでは、個人や社会は国家や独裁者より重要性が低かった。個人として重要視されるのは、大きな影響力を持つ社会的エリートだけである。それは国家保安委員会（ＫＧＢ）出身のプーチンの権力を支えてきた連邦保安局（ＦＳＢ）、内務省、国防省にいる「国家の人間」たちに他ならない（フィオナ・ヒルほか『プーチンの世界』）。

これらの武力省庁に属する者（シロビキ）は、自分たちこそ最高の愛国者にして国家の最終守護者だと自任する。しかし、彼らはプーチンを含めてロシア国家を内部から腐食させるシロアリのようだ。前線の兵士に食料も装備品も行き渡らず、投降や脱走する者も多く出ている。これは、二三兆円もの個人財産を秘匿したとささやかれる大統領の腐敗のせいでもある。

軍から秘密警察まで、兆や億の単位で国家財産や各種利権を横領する個人と比べるなら、かつて黒海からクリミアまで勢力を伸ばした東ローマ帝国（ビザンツ帝国）の皇帝の蓄財などかわいいものだ。六世紀の帝国会計検査官たちは、戦死するか除隊した兵士の籍を抜かずにその給与を着服した。

彼らは、不正を働き皇帝ユスティニアノスへ貢納することが正義と信じていた。しかし、このため兵士の実員は常に不足し、戦死した兵士のポストが空かず昇進もできない。軍隊が機能しなかったのは当然である（プロコピオス『秘史』和田廣訳）。

この種の不正がもっと大規模にはびこる現代のロシア軍では、ワレリー・ゲラシモフ参謀総長があわや戦死の危険に瀕《ひん》し、一〇人以上の将軍が実際に戦死したように、高級将官が前線で督戦しなければ、兵士たちは戦闘の現場に出ようともしない。

前線の兵力を補うためシリアやチェチェンのムスリム兵を国内外から投入したとすれば、プーチンはロシア国家をまとめてきたロシア正教と国民性から離れた「大義なき戦争」への道をますます歩むことになる。

僭主は正義のためでなく気まぐれに人を殺す

自分の権力と利益を追求する「たった一人の人間」による不公正な支配は、国民のためではない。プーチンは古代ならさしずめ僭主《せんしゅ》、現代なら独裁者と呼ばれる政治家である。スコラ哲学者のトマス・アクィナスによれば、僭主は正義のためでなく気まぐれに人を殺す。しかも、悪人よりも善人に猜疑《さいぎ》心を抱き、見慣れぬ徳を恐れるとされた（『君主の統治について』柴田平三郎訳）。

これまでは、誰も制止できなかった独裁者が核の使用を示唆した場合、核恫喝《どうかつ》に対抗するエスカレーションに発展した例はない。プーチンによる究極の武力行使を阻止するには、〈一〉ロシア国民の大多数がこの人物の本質を見抜いて権力の座から追放する〈二〉核の暗号キーを使う複数の有資格者がプーチンの「気まぐれ」な核の使用を許さぬ勇気を発揮する〈三〉欧米と日本が、ロシアの越えてはならぬレッドラインを明示して警告する――が必要になる。

第三次世界大戦の危険と阻止の可能性を多面的に議論する機会は少ない。しかし、プーチンだけに核恫喝の自由を許しておくわけにはいかない。チャアダーエフの「教訓」は二世紀以上を経て、いまや預言者的によみがえるのである。

（ロシア　歴史の教訓：読売新聞「地球を読む」二〇二二年五月一五日付）

キーウの侵略者バトゥの教訓

「かれは町（キエフ）を見て、その美しく壮大であることに驚嘆した。そして自分とともにいる者らにむかってつぶやいた。『この地はまことに驚くべきだ。町の美しいこと、その壮麗なことは見事である。もしここの人々がツァーリ（皇帝）Xの力と壮大な事業を知ったなら、かれに服従するだろう。［反抗して］この町とこの地が破壊されるようなことはしないだろう』」。しかし、キーウことキエフの人々は、Xと部下の「かれ」に頭を下げることもなく、戦いつづけたというのだ。Xとは、タタールと俗称されたモンゴル帝国のバトゥ（抜都）・ハーンであり、「かれ」とはメングカク司令官であった。やがてモンゴル帝国の第四代大ハーンとなるモンケ（蒙哥）のことだ。

　さて、プーチン露大統領のウクライナ侵攻と前後して、ロシア中世史の重厚な研究書が日本で出版された。カラーの細密画と年代記本文を収めた美術書の趣もあり、二九六点の絵と中世ロシア語の字体を眺めているだけで、歴史への想像力が高まる。現代のウクライナ問題を基礎から歴史的に考える上でも有益な書物であろう。それは、栗生《くりう》沢《ざわ》猛夫氏（北海道大学名誉教授）の編訳著『「絵入り年代記集成」が描くアレクサンドル・ネフスキーとその時代』（成文社）のことだ。キエフなどのルーシ（前近代ロシア）が東方のモンゴルに攻撃される光景も出てくる。興味深いのは、史料中のXをバトゥでなく、プーチンに置き換えても意味がよく通ることだ。キエフ人は自らを光と信者と真理、バトゥを闇と不信者と無法になぞらえ、降伏を断固拒否した。現在のプーチンはまるでバトゥのようではないか。

一六世紀末でも、後にロシアやウクライナといった名で呼ばれる民族や領土のまとまりは存在しない。「モスクワ人」や「キエフ人」という名がよく使われた。要は当時の人も、モンゴル人であれ何人であれ、自分の町を奪う他人とは戦ったのだ。キエフ人は侵略者と「激しく戦ったが、死者は夥《おびただ》しく、血は川のように流れた」。バトゥは、「もし汝《なんじ》らが余に降伏するなら、汝らには憐《あわれ》みがあるであろう。もし反抗するなら、汝らはひどい苦しみを受け、死を味わうであろう」と述べた。これはプーチンの脅迫だとしても誰も疑わない。

キエフ人たちの抵抗もすさまじかった。「そこでは槍《やり》が折れ、盾のぶつかり合う音が響き渡り、飛び交う矢が陽光を遮るのが見られた。それはあたかも夥しい矢で天も見えず、タタールの矢継ぎ早に射る矢で闇が訪れたかのようであった」。現在のキーウ近郊での遭遇戦、マリウポリの攻防戦を思わせる。プーチンはルーシをそのままロシア人の祖先と見るが、ルーシの歴史遺産や記憶はウクライナ人ともかなり共通する。モンゴルやドイツなど外敵との祖国防衛戦争はウクライナ人やその祖先も担ったのである。逆に、プーチンが現在のウクライナ戦争で果たしている役割は、侵略者バトゥと同じではないか。「愚かなる者らは必死になって努めるが、空《むな》しいままである」という年代記の言葉は、味わい深い。

（皇帝バトゥとプーチン氏：産経新聞「歴史の交差点」二〇二二年六月五日付）

「革命の亡霊」と中・露・イランの「海」への野心

中国の歴史では、主君の過失は、国が危機に陥り滅亡する予兆とされた。前漢の儒者・劉向《りゅうきょう》の『説苑《ぜいえん》』によれば、主君の過ちを防ぐために忠臣たちは諫言《かんげん》したのである。諫言には、正面から真正直にいさめる正諫《せいかん》や、一度は主君の言に従い後から徐々にいさめる降諫《こうかん》、婉曲《えんきょく》な風刺でいさめる諷諫《ふうかん》などがある。

二〇二二年一〇月の中国共産党大会で政治局常務委員に選ばれた六人は習近平総書記(国家主席)に、せめて孔子も勧める諷諫ができるだろうか。ロシアでも、ウラジーミル・プーチン大統領の無謀なウクライナ侵略をいさめる者はいなかった。

習近平とプーチンは、必要なら定年の規則さえ無造作に撤廃し、人事権を無制限に行使して永久に地位を守る「皇帝型」統治者なのだ。唐の太宗・李世民《りせいみん》が統治の書『貞観政要《じょうがんせいよう》』で臣下にいつも諫言を求め、異論を尊重したような謙虚さと慎重さは両者にはまったくない。

共通するのは、「人間は自分の能力以上の責任を負えない」とは考えない満々たる自信だ。毛沢東のような個人独裁の再現を恐れた鄧小平は、党の集団指導を制度化した。確かに、李克強《リークオーチャン》首相が指導した経済政策はバランスよく機能し、日本をはじめ世界の企業や個人投資家にも安心感を与えた。しかし、新たな常務委員の顔ぶれは習氏の意に従う党員ばかりとなり、さしたる経済通も見当たらない。

　他方、中露の同盟国ともいうべきイランでは最高指導者の任期は終身とされ、独裁権の根拠はそれなりに明快である。一九七九年のイスラム革命以来、ホメイニとハメネイの両師は、習とプーチンに匹敵するか、それ以上の権力を行使してきた。

　この三国がいまだに拭えないのは、「革命の亡霊」である。それは、二〇世紀の革命による独裁制と代行主義の亡霊といってもよい。一九一七年のロシア革命と四九年の建国に至る中国革命は、九一年のソ連解体と八九年の天安門事件で外見上、共産主義イデオロギーの放棄と継続という別々の道に分岐したかに見えた。しかし両者は、資本主義的経営と外資導入による経済発展を図った点では変わらない。

　加えて国家保安委員会（ＫＧＢ）出身のプーチンは、プロレタリア独裁・労農独裁が共産党独裁に転化した後に変質しがちな個人独裁への道を歩んでおり、さながら革命の亡霊にとりつかれたままだ。習近平も、国有企業の利益優先やゼロコロナ政策による都市封鎖に象徴される党の統制強化によって、毛沢東思想を越える道を否定しないようだ。それは集団指導による抑制と均衡でなく、忖度《そんたく》と服従から生じる党エリートの畏縮をもたらす。

それにしても、中国共産党から女性政治局員が一人もいなくなった現状は、波状的に女性がデモに繰り出しているイランと比べても、すこぶる異質というほかない。ヴェールの着用義務違反で死に追い込まれた二二歳の女性をめぐって、ハメネイ最高指導者に抗議するイランの女性たちは、革命の亡霊にとりつかれ時代の流れに逆行する習の新体制の特異性を、中東の鏡から浮かび上がらせるかのようだ。

イスラム革命を継承するハメネイ師とライシ大統領は保守強硬派である。穏健派のロハニ前大統領がウィーン核合意を推進し、米欧による制裁の一部解除とイランの石油輸出を取引したような柔軟性は見られない。それでも、市民の直接選挙で大統領が選ばれるイランには、追悼抗議デモが全土に広がるほどの自由がまだある。

ロシアでは核兵器使用の危険や成年男子の徴兵に反対する全国レベルの動きは鈍い。中国では習の都市封鎖や武力による台湾統合に反対する集会などは、空想的にも考えられない。

イランで生じている政治現象は、女性がこれまで以上に「革命」「社会運動」の主体となる新たな動きかもしれない。かつて哲学者のヘルベルト・マルクーゼは、大学生などを含めた「知識人」の役割を強調し、ハンナ・アーレントは中央集権的な政党でなく人々が選んだ「評議会」を変革の活力として重視したものだ。これらは、ロシアと中国に残存する革命の亡霊とは対照的である。

イランでも「法学者の統治」の名目で宗教指導者が政治の支配を担うのは、民意ではなく代行主義そのものといってよい。イスラム統治体制の周縁で疎外されてきた女性たちが、政治批判の主役に躍り出たことは、成否は別として歴史的に意味深いものがある。

ロシア・中国・イランに共通するキーワードは「海」

ところで、二〇二二年八月に亡くなったミハイル・ゴルバチョフ元ソ連大統領に対して、イランの最高指導者ホメイニは一九八九年一月に、彼の遺書ともいうべきメッセージを送ったことがある。ホメイニはゴルバチョフの進めるペレストロイカ（改革運動）を評価しながらも、共産主義の力ではソビエト社会の荒廃を救えず、イスラムこそ問題を解決できると説いたのである。

私はその折に「ホメイニーとゴルバチョフ」という論文を書き、ホメイニの宿願がイラクと湾岸諸国だけでなく、ソ連領だった中央アジアとカフカスのイスラム教徒を「無神論者の支配」から解放する点にあると分析した（『アステイオン』一四号、一九八九）。ソ連解体とともに、これらの地域は主権国家として独立し、イランで起きたシーア派革命はイラクからシリアさらにレバノンまで広がりを見せている。

当時と現在の違いは、ハメネイ師のイランとプーチンのロシアが、シリア内戦やウクライナ戦争で同盟国のように協力し、米欧の力を牽制していることだ。ウクライナでロシアは、イランに供与させた自爆型ドローンで戦況を挽回しようと必死なのである。

ロシアと中国とイランに共通するキーワードは「海」である。ロシアは、ウクライナの黒海沿岸を押さえて黒海の制海権を獲得しようとしている。中国は東シナ海と南シナ海から西太平洋への覇権を獲得するため、台湾の併合から必然的に、尖閣・沖縄などへの野心を実体化するだろう。イランは、ペルシャ湾から地中海まで広がるシーア派三日月地帯を「海から海までつながるイラン」への野心の基盤としている。

中国に話を戻せば、共産党大会の最終日における胡錦濤前国家主席の退場ぶりは、人事抗争の真相が何であれ、前任者に対して払われるべき当然の敬意が感じられなかった。敬老の心や長幼の序を大切にする中国人や日本人には、まったく不自然な印象を与えたのではないか。

ソクラテスは、自分の顔つきに悪徳の相が出ていると指摘されると、それが自分生来のものだと認めながら、修練によって直してきたと答えた。人の顔つきから意味を引きだすのは、古典の評論に属することかもしれない。しかし現代においても、権力を自由に行使する政治家なら、ソクラテスの努力から教訓を見いだすことが無理だとはいえないだろう。

（革命の亡霊：読売新聞「地球を読む」二〇二二年一一月六日付）

「国家主義的自国主義」の危険な誘惑

二〇二二年三月二日、国連総会はロシアのウクライナ侵攻に対して非難決議を採択した。そのとき、興味深い現象が生じた。それは、最近経済発展だけでなく、軍事力の充実でも目ざましい国々が一〇カ国ほど棄権にまわったことだ。これらの国々こそ最近、恒川恵市氏が『新興国は世界を変えるか』（中公新書）のなかで、学問的に定義しなおした「新興国」二九カ国・地域のうちの一〇カ国なのだ。中国はともかく、インドとベトナムが棄権というのは意外に感じた人も多いだろう。ロシアが厳しく反発する制裁実施国に入っている新興国・地域は、韓国・台湾・ポーランド・シンガポールの四つにすぎない。

　アジアとくに東南アジアの国々は、この種の問題についてはいつも立場をあいまいにしがちだ。ロシアとならんで中国は、周辺諸国に対して攻撃的な行動や軍事的な脅威で、第二次大戦後の世界秩序の原理を揺るがしている。中国がロシア制裁に消極的なのは当然であろう。むしろ反対しなかったのが不思議かもしれない。周辺国・地域との主権や領土の争いをめぐって、平和的に解決する手法をとらない中国によって、係争島嶼《とうしょ》を埋め立てられ軍事基地などに転用されながら、結局はなりゆきまかせの国が多いのも東南アジアの特徴である。

　その理由は、恒川氏の書物を読んでよく分かった。日本やアメリカのような「自由主義的国際主義」の原則と対極的な「国家主義的自国主義」に引きずられる国々が東南アジア諸国連合（ＡＳＥＡＮ）や中東諸国に多いのは、国内での民主化や人権にうるさい注文をつけるアメリカや欧州連合（ＥＵ）が煩わしくなったからだ。中国は、湾岸アラブの君主たちが国内の宗教・宗派、民族、ジェンダーの少数派や弱者にどう振る舞おうと意に介さない。また、選挙結果が無視され軍部が時代錯誤じみた政治干渉をする東南アジアの一部の国にとって、「国家主義的自国主義」はむしろ自分たちの理想とさえいえるからだ。厳格な信用審査や返済能力を吟味もせずに、大量貸し付けや大規模支援をする中国は、短期的にはありがたい存在なのだ。要するに、短期での利益しか見ない政権にとっては、ツケがいずれ国家にまわり、ソン（損）が国民を苦しめるとしても、担当者一代の業績となればありがたいのである。後世を考えなくてよいとなれば、短期で成果を挙げられるのは悪いことではない。その結果、インドネシアの新幹線敷設の頓挫、スリランカの財政破綻などが生まれた。

日本は「新興国」とともに「自由主義的国際主義」の原則を掲げて歩んできた。この理想もいまや風前のともしびである。日本が「国家主義的自国主義」の勢いに屈し、妥協するとなると、アジアや中東の歴史の動きは根本から変わってしまう。第二次大戦後長く自由と民主主義の果実を享受してきたアジアの人びとが社会を内部から毀《こわ》していくことに気付かないか、気付かないふりをしているのはおぞましいことだ。戦後、平和的に各国への開発援助に取り組んできた日本にとっても、国際的リーダーシップの在り方が問われる正念場であろう。

（国家主義的自国主義の誘惑：産経新聞「歴史の交差点」二〇二三年二月二〇日付）

第三章　歴史家のメモランダム

昭和天皇という歴史

平成の時代らしいいちばんの書物は『昭和天皇実録』ではないだろうか。本実録の叙述スタイルは、昭和天皇一代の歴史を扱っている点で断代史のカテゴリーに入るが、全体として「帝紀」や「本紀《ほんぎ》」のように君主を中心に人の動きを描く紀伝体の性格も帯びている。しかし実録では、或る事の顚末《てんまつ》を一か所でまとめて叙述する紀《き》事《じ》本末体《ほんまつたい》も適宜併用した。これによって、平成の時代認識や新史料を昭和に遡《さかのぼ》って活用することが可能になった。

紀事本末体の重要例は、宮内庁長官・富田朝彦《ともひこ》の拝謁を受けた昭和六三年四月二八日条の記述である。これは、宮内記者会の質問に「なんといってもいちばんいやな思い出」は第二次世界大戦だと答えた二五日条記載の発言に関係するものだ。これに続いて、靖国神社のA級戦犯合祀と自らの参拝について「述べられる」と、実録は具体的な内容に触れずに、発言した事実自体を認めている。そのうえで実録は、「なお」という但し書きを使って、平成一八年七月二〇日に日本経済新聞が「富田長官のメモとされる資料」を報道した事実に触れた。昭和天皇が靖国参拝について長官と会話した事実を記録する昭和六三年の箇所に、時系列では遅い平成一八年の報道事実を合わせて記録したことになる。

これは宮内庁修史官の史料に対する一つの姿勢を示している。ここでは、単純な編年体叙述でなく、靖国参拝に関連する事柄について紀事本末体に類したスタイルをとることが適当だと判断したのだろう。ただし、富田メモの内容、そこにおける天皇発言については、一切触れられていない。古典的に言えば正史ともいえる昭和天皇実録への記録には、複数の文書や証言がなければ、一史料を直ちに平成時代の重要な政治外交トピックを左右しかねない叙述に使わないという慎重さの表れであろう。それと同時に、紀事本末体で事実を記録したのは、平成に生きる歴史家の責任感も帯びた修史官がぎりぎりで見せた意地だったのかもしれない。

（「昭和天皇」という歴史：「週刊ポスト」二〇一九年一月一・四日合併号）

司馬さんと『昭和天皇実録』

司馬さんの「この国のかたち」は、どのエッセイも文学作品になるか、映画やテレビの素材にもなろうかという内容に溢れている。司馬さんのエッセイを貫いていたのは、明治維新の成果をいともたやすく無に帰せしめた昭和陸軍の愚行へのこだわりである。それは、小説にしようとしても、とても陰鬱にすぎて作品にはならなかった。ノモンハン事件などはその最たるものである。やはり、「この国のかたち」というエッセイの形でしか、この事件に対する思いのたけを表現できなかったのだろう。

天皇について、帝国憲法第四条での統治権を総攬《そうらん》する元首としてよりも、第一一条における陸海軍の統帥権者として理解する陸軍は、帷幄《いあく》上奏権を行使して参謀本部の独立性をたてに専断の限りを尽した。国際協調主義や東洋平和を苦境に追い込む形で中国や満州で勝手気ままな行動に出たのである。戦車小隊長として、陸軍の空気を肌で感じていた司馬さんにとって、その横暴は小説として表現する価値もないと考えたのだろうか。

ところで、司馬さんが連載を書いていた頃には、『昭和天皇実録』（二〇一四年）はまだ公けにされていなかった。今回の実録でいちばん驚くのは、司馬さんが考えていた以上に、陸軍とその指導者が無責任の極みにあったことだ。一九四一年（昭和一六年）九月五日。つまり御前会議における帝国国策遂行要領決定の前夜、「もし開戦となった場合、どのくらいで南方作戦を完遂する見込みか？」と、対米戦争の成算を昭和天皇は尋ねた。相手は、陸軍参謀総長の杉山元《はじめ》である。今回の実録と他史料などを総合すれば、次のようなやりとりが交わされたことはほぼ間違いない。

まず杉山は、南方作戦を五カ月で終了する見込みだと楽観的な回答をした。すると天皇は、支那事変勃発当時の陸相だったお前は、速戦即決で事変が片付くと私にむかって申したのに、支那事変は四年たった今になっても終わっていないではないか、と語気鋭く問いつめた。杉山の発言はしばしば反対の結果をもたらした、とやや荒々しい語気で天皇が叱責した、というのである。答えに窮した杉山が「支那は奥地が広うございまして、予定通り作戦がいかなかったのであります」と言い訳すると、天皇は「支那の奥地が広いというなら太平洋はなお広いではないか。いったいいかなる成算があって五カ月と言うのか？」と一喝し、杉山は言葉を失ったという。

この話の一部はこれまでも知られていたが、司馬さんは管見の限り、二人の対話をまとまった形で取り上げたことはなさそうだ。たとえ、実録が刊行されていたとしても、司馬さんは杉山の愚劣さ加減を、とても小説にまとめようとする気にもならなかっただろう。それでも、司馬さんは「この国のかたち」で『昭和天皇実録』について感想を述べたはずだ。司馬さんは、天皇への尊敬心をまるで欠いた杉山の姿に呆《あき》れるだけでなく、静かな怒りを改めて抱いたのではなかろうか。

史料は史料だけでは意味をもたない。然るべき人が読んで初めて意味をもつからだ。司馬さんと『昭和天皇実録』の組み合わせは、やはり魅力に富んでいる。

（司馬さんと『昭和天皇実録』：「文藝春秋」二〇一六年三月特別増刊号）

「欧州型自由」が生んだテロの危機

「カメレオンのように動け。前を見よ、そして後ろにも目をこらせ」。このマダガスカルの俚《り》諺《げん》ほど、テロ防止の心構えを教えてくれる警句はない。

二〇一六年四月一日に終わった核安全サミットでオバマ米大統領は、過激派組織「イスラム国」の核テロを許さぬ決意を高言した。また、二〇一五年一月のパリの週刊紙「シャルリー・エブド」襲撃事件から一六年三月のブリュッセル同時テロまで、オランド仏大統領はじめ欧州の指導者は事あるごとに、「我々は戦争状態にある」と表明してきた。

しかし、通常の国家間には核や最新兵器による抑止力が効いても、核物質テロの防止や、前近代の論理をかざす「イスラム国」と現代国家の間で生じたポストモダン型「戦争」の終結に即効薬はない。残念ながら、絶対的な「テロ抑止力」は不在なのである。

今、日本と世界に必要なのは、シリア内戦で生じた中東複合危機に「欧州人によるテロ」が結び付いて、グローバルな複合危機が進む現状を認識することだ。

確かに、トルコやエジプトで頻発するテロの下手人は、「イスラム国」に影響されたアラブ人やトルコ人であり、トルコ政権と敵対するクルディスタン労働者党（ＰＫＫ）につながるクルド人である。しかし、パリとブリュッセルのテロ犯は、父祖が北アフリカや中東に由来するムスリムだったとしても、彼ら自身は欧州で生まれ育った「欧州人テロリスト」なのだ。しかも、「イスラム国」外国人戦闘員の三分の一を占めるとも言われる「欧州人テロリスト」は、シリアとイラクで、パリやブリュッセルの被害者数よりはるかに多い人々をテロと「戦争」で殺害している。

シリア人やイラク人の遺族、あるいは欧州に保護を求める難民が、自らを「欧州人テロリスト」の犠牲者だと主張したとしても、誰が反駁《はんばく》できるだろうか。

もっとも、これからは、欧州に逃れた難民からもテロ参加者が出るだろう。「イスラム国」は、その手下《てか》を難民に身をやつさせ、欧州に中東の「戦争」を輸出する戦略を増進しているからだ。彼らには、欧州や中東の出生地や国籍に関係なく共通の特徴がある。それは彼らが、「ムスリムのふりをする」だけの輩《やから》にすぎないということだ。同信者を無差別に殺し権力を求めるあまり、普遍的な啓示宗教のイスラムを過激派イデオロギーと暴力礼賛の水準まで貶《おとし》めた責任は大きい。

欧州のテロ実行犯には、イスラム道徳に反する飲酒癖や遊興癖を持つ輩も含まれていた。反社会的無法者が、ともかくイスラムと銘打ったテロリストに変容する回路は、相対的貧困や社会的差別だけでは説明できない。

むしろ、彼らの内面を一種のニヒリズムからテロリズムへと変容させた遠因は、欧州はじめ民主主義社会の自由そのものに潜んでいる。

プラトンからJ・S・ミル、アイザィア・バーリンに至るまで、自由と権利、義務と責任の相補性を緻密に組み立て、政治にも援用してきた自由論は、植民地主義の悪《あ》しき遺産と伝統をひたすら批判したポストコロニアル理論や多文化主義にひたすら浸潤されてきた。だが、その流れを受けて文化や思想の多元性や複数性を尊重し、国境管理を廃止するまでに発展した欧州の民主主義は、実は同時に、無防備のままにテロの浸透を許す危険を生み出したのである。

文化相対主義が、アッラーの唯一性を強調する信仰に対して寛大な事実に何の問題もあるはずはない。しかし、それは一方で、自らを唯一の真理の表現者だと若者に思い込ませ、イスラムの至上性と強引に重ねる「イスラム国」のような過激な政治潮流を許容する遠因にもつながった。文化や宗教の多元性を認める「善」は当初から、欧州の自由論と文化相対主義に乗じてテロを生み出す「悪」に対して不利なハンディキャップを持って向かい合っていたと言えよう。

空想的平和主義ではテロ抑止力にならない

では、テロ抑止に向け、どうすればよいのか。ムスリムとの平和的対話という一般的レベルでテロを絶つことはできない。テロや「戦争」の被害者はムスリム自身であり、彼らが「ムスリム・テロリスト」と如何に対峙するかが問われなくてはならないからだ。

私は日本政府の中東文化交流・対話ミッション団長として三回、各国を歴訪し、日本アラブ対話フォーラム委員としても東京、カイロ、リヤド、アレクサンドリアを舞台にイスラム世界との文化交流に従事したこともある。相手は、我々と同じく理性や知性を重んじる平和主義者であり、「テロリストとの対話」だったはずもない。対話や貧困対策を強化すればテロが消滅するという空想的平和主義では、テロ抑止力にならない。

留意すべきは、「イスラム国」や「欧州人テロリスト」の特性が、ローマ法でいう「ホスティス・フマニ・ゲネリス」（人類共通の敵）である点だろう。古代ローマの思想家キケロが海賊を法の保護外に置いたこの言葉は、やがて奴隷所有者や二〇世紀の「大量虐殺者」を指すようになった。これは民族や宗教信仰の差異にかかわりなく、ムスリムを含めた全人類に仇《あだ》をなす者たちの定義にふさわしい。イスラムにも「平和の紊乱《びんらん》者」（ムフスィド）という言葉がある。

二〇一六年五月に伊勢志摩サミット、二〇二〇年に東京五輪・パラリンピックを控える日本にとって重要なのは、テロ撲滅への長期の理想を語ることではなく、短中期的に、テロと「戦争」が複合化する危険を阻止し、テロ抑止力の構築にあらゆる手だてを講じることである。

第一は、フランスやベルギーで露呈したように、テロ情報が国際的に共有されていない欠陥を是正し、国境をやすやすと越えるテロリストの移動を入国以前に阻止することだ。

第二は、「イスラム国」のテロを、非国家組織と国家との非対称なハイブリッド型の「戦争」として把握した上で、市民社会に「戦線」を広げる非情なテロを予防する厳しい姿勢を国民に認識してもらうことだ。

第三は、本質的に個人の生存や自由な社会を維持するために、日本の市民も公共施設やホテルで金属探知機や荷物検査の徹底化に協力する不自由を耐え忍ぶ必要性である。

中東と欧州の複合危機から日本が学ぶ教訓は、自由と秩序を守るために、テロ対策を事故対処型から発生予防型に切り換えることであろう。

しかし、脅威や危険を理解しても、日本や米国のような民主主義国家では、電話通信傍受や通話データ収集の合法化について市民の理解を得るのは難しい。その反面、一たび大テロが起こると社会全体の恐怖感が募るあまり、難民や在留外国人を排斥するデマゴーグに支持が集まる可能性も憂慮される。

中東欧州複合危機がグローバルな脅威に拡大すれば、ファシズムやスターリン型共産主義など全体主義勢力が出現しかねない。二つの大戦と冷戦を乗り切った歴史の教訓と先人の犠牲を否定しないためにも、民主主義の堅持と発生予防型のテロ抑止力構築を両立させる必要性を日本でも広く議論すべき時が来ている。

（テロ抑止力：読売新聞「地球を読む」二〇一六年四月一〇日付）

憎悪止めたNZ首相の寛容な叡智

南半球の島国ニュージーランドが難民にも寛容な多民族・多宗教国家であることは、日本人にはあまり知られていないだろう。この国は、リベラルな民主主義社会の普遍的価値たる開放性と寛容性を維持しながら、安全に繁栄する平和な社会をいかに構築するのかという大局観を模索してきた。

二〇二〇年二月に一週間ほど、この国を訪れてきた。クライストチャーチという美しい名前を持つ都市で起きた二つの悲劇を追憶し、日本が学ぶべき教訓を改めて考えたかったからである。

二〇一一年二月二二日のクライストチャーチ大地震は、日本人二八人を含む一八五人の尊い命を奪った。邦人の名が墓碑銘と慰霊碑に刻まれた歴史的悲劇は、二週間半後に起きた東日本大震災とともに日本人の記憶に長く残るであろう。

他方、一九年三月一五日に同市内で五一人が殺害された二つのモスク襲撃事件は、ニュージーランドの誇る異文化・異宗教共存の伝統を凄惨《せいさん》なテロで否定した犯罪である。残念ながら一周年追悼式典は、新型コロナウイルス感染対策で中止された。

平和な国で誰も予期しなかったテロの事後措置から学ぶべきは、労働党のアーダーン首相の強いリーダーシップである。三七歳で最年少の首相となり産休もとった女性宰相は、この国が長年かけて培った国民のアイデンティティが根こそぎ否定されかねないとの危機感をとっさに抱き、憎悪の連鎖に陥る恐れのあった社会を直ちに沈静化させた。

　現地に素早く入り、イスラム教のスカーフ姿で、犠牲者と遺族、そして傷ついたイスラム教徒に「アッサラーム・アライクム（あなたたちに平安がありますように）」と呼びかけ、「あなたたちは私たち（ニュージーランド国民）です（You are us）」と表現した。異文化共存への慈愛に満ちた決意表明にほかならない。

　彼女が犯人の名前を一切公表しなかったのも大きな見識だろう。テロ犯は事件による売名が目的だったかもしれないからだ。犯人とその背後に潜む勢力に犯罪の果実を与えず、そのもくろみには乗らないという立場を明確にしたのだ。

　イスラム過激派組織「イスラム国」による人質邦人の処刑の光景や音楽効果音を電波で流した日本の一部テレビ報道の立場と対照的な姿勢である。実際に、極右・極左を問わずにテロと対決するには、犯行の一部始終を生配信したオーストラリア人実行犯が意図的かつ瞬時に拡散した悪の宣伝に乗らない点こそが大事なのだ。

　アーダーン首相はテロ発生から間もない昨年（二〇一九年）四月、銃規制法を改正し、大量殺人の凶器となる半自動小銃の販売を禁止した。またヘイトスピーチ規制を法律面で強化するなど、矢継ぎ早に犯罪対策を実行した。

国民の一体性を壊しかねない反イスラム言説を批判し、イスラム教徒への理解を深める教育の重要性に言及した。さらに、ネット上からテロなどの過激なコンテンツを除去する国際的な働きかけにも取り組んだ。二〇二〇年五月にパリでマクロン仏大統領と共催した国際会議では、テロや暴力のネット情報を厳しく管理する「クライストチャーチ宣言」の採択につなげたものだ。

銃撃されたアル・ヌール・モスクのジュマイヤ・ジョーンズ理事長によれば、テロに反発した若いイスラム教徒の過激化を食い止めた要因は二つある。

第一はアーダーンがイスラム共同体に共感し、被害者とその家族を力づけたことだ。怒りをぶつけるよりも、一緒に犯罪に立ち向かいながら、負傷者に休業給付金や家族呼び寄せ金を与えた果断な具体的措置の意味が大きい。これによって若者はひとりよがりにならず、首相の言葉を信じて皆が一致結束する流れになった。言葉と行動の調和したリーダーシップが成功した訳である。

第二は、犯罪行為に激怒するよりも「起きたこと」をそのまま受け入れ、平静を保つイスラム信仰の独特な冷静さが発揮されたことだ。出身国が四〇以上に及ぶニュージーランド在住イスラム教徒の考え方の違いを乗り越える理性の力は、現地で会ったイスラム指導者にほぼ共通していた。この驚くべき寛容性が、法の支配への尊敬心と一体であったことは敬服に値する。

衝突や抵抗が日常化する中東の悲劇に思いをはせながら、ニュージーランドで感じ入ったのは、負傷した人や事件を目撃した人たちが苦しみながらも、直接的な復讐《ふくしゅう》心を持たないことだった。今住んでいる地でこれからも平和的に協調しつつ暮らしたいと考えるイスラム教徒が圧倒的に多いのは、この国の誇るべき美点であろう。

試される民主主義の経験と成熟

だが、このように異文化共存が根付くニュージーランドでも、白人至上主義と行動的右翼運動が小規模ながら台頭している。マッセイ大学のポール・スプーンリー教授によると、国内には、西洋キリスト教文化がイスラム教文化を一掃してまるごと代わるべきだという「総入れ替え論」を唱える組織など大小約六〇の極右団体が存在する。

彼らの共通項は、英国的伝統の偏重に加えて反移民・反ユダヤ・反イスラムの三点に収束するといってよい。フィリップ・ギブソン元駐日大使は、ニュージーランド人は白人優越主義ではないとしつつ、英植民地時代以降の建国の経緯からアジア人への優越感が深層心理に沈殿している重みを指摘する。極右集団は一見して識別できるが、一般市民に無意識に植え付けられた差別感こそ問題だというのだ。

新型コロナウイルスの感染拡大のような未知の現象との遭遇によって社会にひずみが生じると、ニュージーランドや日本のような民主主義社会でも日常のバランス感覚が急激に崩れかねない。感染症流行やテロを通じて、憎悪や恐怖、差別といった悪《あ》しき意識の感染を引き起こす「姿なきウイルス」も無視できない。それだけに、自分の出自にかかわらず、居住する国の規範を受け入れ、尊重し合い、善意に基づき行動することこそが、あらゆる危機を克服するカギとなる。

ニュージーランド人は今、こうした意識と行動のバランスを保っているように見える。日本人はもとより、中東などのムスリム市民も学ぶべき点が少なくない。

今回のコロナ危機で、焦点の一つの緊急事態宣言について考えるべき視座とは何か。危機は既に世界史的レベルに達し、さらにこの種のウイルスが戦争やテロに利用される危険性も全面的には排除できない。個人の自由と市民社会の存立が脅かされるぎりぎりの状況下では、緊急事態宣言によって民主主義政治が遅滞なく対応する必要性を認めざるを得まい。民主主義の経験と成熟が試されているのである。

（危機の克服：読売新聞「地球を読む」二〇二〇年三月二二日付）

なぜ安倍元首相は殺されたのか

日本の国益、国民の安全、経済と金融、歴史と文明論などをトータルに世界へ向けて発信し、日本の立ち位置を説明できる政治家は決して多くない。そのなかでも安倍元首相は主張が一貫しており、最長政権を打ち立てた事実と劇的な死は憲政史に確実に刻みこまれる。病気で一度退陣した時も含め、持続的な批判をものともせず、信念の発信を続けてきた。

　大局観のある政治家が、警備当局の大油断もあって、防げたはずの凶弾に倒れたことは無念というほかない。心からお悔やみ申し上げたい。

　現代の日本では鉄砲の所持は厳しく規制されている。歴史的に見ても、豊臣秀吉や徳川家康の時代から日本では「ガン・コントロール」が確実に機能してきた。アメリカとは違って、現代日本の多くの市民は政治家がテロや殺人犯罪の標的になることを想像できなかったのではないか。戦前、首相級の政治家が暗殺されたテロ犯罪が起きたことも、大多数の国民の記憶と知識から消え去りつつあった。他方、今回のことで、政治家・国会議員の皆さんは、思い込みから自分もテロ殺傷の標的になる恐ろしさを改めて痛感したことだろう。

国会議員は、選挙や遊説で公の場に自分をさらけ出す機会の多い職業である。主義主張が異なっても、理性や合理主義で反発・批判できる環境を日常的に担保するのが民主主義である。しかし、民主主義の自由と権利の享受は、銃弾・爆発物を作る〝自由〟を人知れず利用できる犯罪の秘密性や密閉性とも背中合わせになっている。だからこそ警察は、一般市民から政治家に至るまで、人々の安全を守るために日夜尽力しているのだ。その間隙にしのびよったのが今回の凶悪犯罪である。

今度の参院選で当選した議員の中には、異なる主義主張の暴力的解決を図る者や、思い込みによる怨恨を持つ者が社会にまぎれこむ危険性を認識した人もいるだろう。国会議員とは本来、語るべき政見も持たず、マスコミの取材にも応じられない人が、何かの〝知名度〟だけでなれる職業ではない。安倍氏の不慮の死が、改めて有権者と国会議員にも、政治の覚悟と使命感とは何かを考えさせる真摯《しんし》な機会になることを願ってやまない。

（民主主義の「自由」と「権利」は凶弾を作る〝自由〟と背中合わせだ
：「週刊ポスト」二〇二二年七月二九日号）

「平静の人」北の湖を偲ぶ

亡くなった日本相撲協会の北の湖理事長は、角界だけでなくどの道に進んでも周囲の人びとに頼られ、物事を着実に解決しながら、事業を成功に導ける人物であった。それは、北の湖が平静の人だったからだ。かち上げで相手をのけぞらせる雄姿や巻き替えの躍動感が今でも瞼《まぶた》に浮かぶ。一代年寄になってからも日常生活の心ばえは変わらず、組織の運営に冴《さ》えと安定感を示し、二度の理事長職を経験して円熟した人間味を増していった。

私は横綱審議委員として、相撲をめぐる不祥事が多発したときに、関係者を戒飭《かいちょく》し自省しながらも、確実に難事を処理して角界をまとめあげた北の湖の現実的手腕を評価する。一方、理想的にすぎる現代の価値観を相撲に期待する人びとには満足できない面もあったはずだ。現役の時にも、負けた力士に手を差し伸べない北の湖は囂囂《ごうごう》たる批判にさらされた。しかし早熟の天才、北の湖からすれば、土俵の敗者を憐《あわ》れむよりも、そのプライドを守り名誉を重んじる道こそ相撲の本質だと考えたのだろう。現実に北の湖理事長ほど、引退後の力士の生活や親方らの処遇に心を砕いた人は少ない。

北の湖は平静の人であったが、その資質は公的にも個人的にも、仕事の量や範囲を削って得られた人為的結果ではない。平静さを得るには何もしないのがよいと考える人もいる。しかし、深刻な不祥事で鼎《かなえ》の軽重を問われた国技を蘇生《そせい》させるために、北の湖は逆の道を進んだ。

それは、一世紀のギリシャ人哲学者プルタルコスが紹介したように、何もせず心の平静を得るために、さながら病弱な人に床の中にじっとしていよと忠告する類の教えを、北の湖が受け入れなかったことだ。反対に彼は、多くの仕事をしても平静な心を維持できる非凡な能力を証明した。義務感や責任感の赴くところ、床の中にじっとして自分の身を守る道をとらなかったのは、彼の健康からすれば悲劇の第一歩でもあった。

相撲協会の公益法人化という一大事業をなしとげた人物は、そこに満足せず、土俵の充実、力士の待遇やモラル改善など次の課題にすぐ取り組んだ。プルタルコスは、心が平穏か失意にくれているのかを決めるのは、手がけている仕事の量の多寡よりも、内容が立派か劣悪かにかかっていると看破した（『モラリア』6）。北の湖は仕事の量もさることながら、博多の地で倒れるまで現職理事長として病苦と激痛を押して働き続けた。そのような仕事への姿勢と内容の誠実さは、日本相撲史と人びとの記憶に長く残るに違いない。

ひつぎに納められた北の湖の顔は、義務と責任を果たして誇らしげな男の穏やかさにあふれていた。彼こそは谷風や雷電から、双葉山や大鵬につながる相撲系譜の偉大な数人に入ると述べたのは黒鉄《くろがね》ヒロシ氏である。わが意を得たりと思う読者も多いだろう。それにしても、北の湖の死という現実を受け入れられず悲嘆から抜け出せないのは、早すぎる物故が予想もしない瞬間に訪れたからである。平静の人のご冥福を心から祈りたい。合掌。

（「平静の人」北の湖を偲ぶ：産経新聞「歴史の交差点」二〇一五年一一月三〇日付）

大相撲の国際性と国民性

国際性と国民性の問題は、グローバル化時代の政治や経済だけに限らない。日本人の好きなスポーツでも、ゴルフと大相撲は、それぞれ国際性と国民性を象徴する存在と言える。二〇二一年四月のマスターズ・トーナメントにおける松山英樹選手の優勝は、ゴルフの四大メジャーで一番華やかな試合をアジア出身者として初めて制覇した点で国際的に注目された。コロナ禍で沈滞する日本人の気分を明るくした快挙でもある。同じく大リーグの大谷翔平選手の大活躍も空前の快挙であった。

ゴルフはスコットランド起源の国民性を残しながら、誰にも分かる単純明快なルールでどの国にも公平な国際競技として成熟した。勝敗がわかりやすく選手が異を唱えない点では、ゴルフと並んで、日本の大相撲は世界でも屈指の公平なスポーツである。

大相撲は、古典的ルールに忠実な「国技」でありながら、外国出身力士を積極的に受け入れてきた。その総数は、戦後の昭和・平成・令和を通じて一九二人に達し、うち六人は部屋持ち親方（師匠）になった。しかし大相撲は、日本の歴史から伝説・神話へ遡及《そきゅう》する「神事」を継承した伝統文化も担っている。こうした国際性と国民性の調和的発展に関して、私を含む八人の「大相撲の継承発展を考える有識者会議」は、二〇二一年四月に提言書を日本相撲協会に提出した。

その結論は、多数の外国出身者がいる現状を、抽象的な「国際化」という言葉でなく具体的に「多国籍化」と定義した上で、このスポーツの「脱日本化・コスモポリタン化」への変容を否定することだった。あえて言うなら、大相撲はあくまでも「一国相撲主義」にこだわり、「国際相撲革命」を起こす道を歩まない。これは、次に説明するように、閉鎖性や排他性というには当たらない。

そもそも、江戸時代の礼法書の『貞丈《ていじょう》雑記』によれば、鎧《よろい》を着て武士が組み打ちをした相撲は、平時に当て身で勝負する「やわら」（柔道）とともに武士道に由来する。剣道は言わずもがなである。鎌倉時代の『吾妻鏡』には「弓馬・相撲の達者」という表現が各所に現れる。弓馬とは武芸一般であり、相撲は武士のたしなみであった。

六九連勝を達成した大相撲の横綱・双葉山は、幼少期に右目を失明したが、猛稽古で角界の頂点を極めた。現在、土俵の充実には怪我《けが》の防止と健康管理が欠かせない。春場所で首を強打し、先月（二〇二一年四月）急死した三段目力士・響龍に心から哀悼の意を表したい。同時に大相撲関係者には、稽古環境の整備と一層の安全対策を望む。

ここで、大相撲の多国籍化について、柔道と剣道を例に比較してみよう。

柔道は早くから、よりダイナミックに興味深く観客へ訴えるスポーツに変容する国際戦略を選んだ。しかしその代償として、体重別制やカラー道着の導入を強いられた。さらに、技評価の細分化と一本勝ちの減少を通じて、柔道発祥の国・日本の伝統は国際的に受け容《い》れられず、一本をとる柔道は少数派へ転じてしまう。

他方、剣道は国際化ではなく、海外普及・国際普及・国際対応という表現を使っている。日本の伝統文化が培った剣道の古典的ルールを変えず、脱日本化させずに海外へ「普及」する立場は、私たち「有識者会議」が提言をまとめる上で参考になった考えである。

国際柔道のように勝負判定の点数化や体重別の制度を大相撲に導入すれば、小兵の力士が大型力士を負かす無差別級を体現してきた日本の大相撲は終焉《しゅうえん》を告げる。また外国出身者は、自発的に部屋へ入門して師匠の指導やおかみさんの愛情、兄弟子との稽古によって、疑似大家族の中で相撲道と人格をともに成長させていく。これは「同化」や「強制」ではまったくない。

それどころか、相撲の多国籍化は、ユネスコが二〇〇一年に採択した「文化的多様性に関する世界宣言」が確認する「文化とは特定の社会、社会集団に特有の精神的、物質的、知的、感情的特徴をあわせたもの」との原則を尊重している。

同時に、大相撲への入門とは、相撲を支える日本の文化や慣習への接近でもある。外国出身力士は「入日本《にゅうにほん》」あるいは「入日本化」するのであり、脱国籍・脱民族による同化や「日本化」を強制されるものではない。自らの選択で大相撲の世界に「入る」ことは、大相撲に関わる日本の文化・伝統・慣習にも漸進的に「入る」ことを意味する。

結果として、「我が国固有の国技」（相撲協会定款第三条）たる大相撲の技法を習得するだけでなく、反則ならずとも品位に欠ける技や立ち合いを嫌う慣習を学ぶことになる。その最初の事例が元関脇・高見山大五郎（元東関親方）だったことは言うまでもない。

採点競技の恣意性

日米で人気のある野球やテニスは、チャレンジ制度などの導入により誤審が激減した。しかし、国際性を謳《うた》っていても、採点競技では、恣意《しい》的にルールが改正されるか判定基準が首尾一貫しない光景を目にする。

特に一部冬季競技の採点は公平性・客観性を欠くとの指摘がある。髙梨沙羅選手の活躍するスキージャンプ競技では、飛型審判員の欧州偏重と判定基準の不明瞭さ、着衣による失格判定の恣意性が目立つように思う。国際性の形式をまといつつ、本質は一部欧州のローカル・スポーツの名残をとどめている感も拭《ぬぐ》えない。

また羽生結弦《はにゅうゆづる》選手の分析によれば、フィギュアスケートには採点の欠陥とそれを悪用した演技があるらしい。審判員は、同じ場所に座って決まった角度から見るため、ジャンプの回転不足や違反を見逃すことが少なくないそうだ。

氷上で前向きに踏み切るアクセルは、羽生が一六分の一回転したところで跳ぶのに対し、ひどい人では四分の一回転もしてから跳んでも明確な減点ルールがない。審判員の死角をついた不完全な演技が減点されないのはＡＩ映像で総合的に解析しないからだという。

大相撲は行司以外に土俵下にも勝負審判五人を四方に配置しビデオ映像も早くから勝負判定の参考にしてきた。多方向・多角度から眺める判定に個人の主観が入る余地はなく、日本人を含めて多国籍の力士全員に公平という点こそ「国際的」ではないのか。それでも力士の中に、行司軍配に前代未聞の不服を言い立て、大相撲の徳やたしなみを無視する高位者も現れたのには驚く。これは〝国際性〟の意味の履き違えである。

一六世紀フランスのモンテーニュは「勇気」「武勇」が「価値」に由来し、「大きく価値のある人」「立派な人」とは「勇気ある人」でありながら「徳のある人」だと述べたものだ。徳の力がなければ、たとえ勝負で強くても、最終的に弱い人間たちの上に立つ信望を得ることはできない。一時は高い地位を得ても、名誉と威厳のある立場を長く与えようとの機運は簡単に生まれない。ましてや、誰もが認める名声とは、求めて得られるものではないのだ。

（国際性と国民性：読売新聞「地球を読む」二〇二一年五月二日付）

第四章　「将軍の世紀」から何を学ぶか

「将軍の世紀」の歴史的遺産

今上天皇は二〇一九年（平成三一年）四月三〇日に退位される。新天皇の即位は五月一日となった。生前譲位は江戸末期の光格天皇以来約二〇〇年ぶりである。こうして、二〇二〇年の東京五輪は新天皇のもとで迎えることになる。平和の祭典は、日本の新たな象徴の姿を首都東京から世界に向けて発信する、こよなき機会ともなろう。

ところで二〇二〇年は、東京の前身、江戸に徳川家康が入った一五九〇年からちょうど四三〇年に当たる。戸数も少なかった江戸は、徳川幕府の経営によって、一世紀ほどで一〇〇万の人口を擁する大都会に成長した。

ほぼ同時代のロンドンの人口は四六万人、一九世紀初めのパリでも五五万人にすぎない。行政の中枢にして巨大な消費都市となった江戸は、埋め立てや上下水道の整備を含めた家康の都市計画と土木工事によって、後にメトロポリス東京となる基盤を造ったのだ。

家康の江戸城は明治維新後、そのまま皇居となり、四世紀を経ても首都の「緑地」として心のやすらぎを国民に与えている。家康は、江戸を中心に幕藩制複合国家ともいうべき

「二つの国家」の一体性を作り上げた。武家の権力として、天皇の権威と対立せずに幕府による支配の正統性を確立した「将軍の世紀」は、民主的に選ばれる日本政府と象徴天皇制との関係を考える上で現代人にも大きな参考となろう。

二七〇年間も戦争のない安定した国家と統治機構を創り上げ、「パクス・トクガワナ（徳川の平和）」によって、応仁の乱をはじめとする戦乱と無秩序を招いた中世のカオスに終止符を打ち、民間社会の成熟と列島の均質化を進めたのも家康の仕事に他ならない。

また、江戸周辺農民の年貢を低く抑え、家内制手工業を農村から醱酵《はっこう》させ、近代の産業革命への対応を静かに準備した日本の近世は、家康のリーダーシップがないと出現しなかったのではないか。

リーダーには運の強さも欠かせない。家康は、豊臣秀吉の文禄・慶長の役で朝鮮に出兵せず、武将として不義の戦いで血塗られずに済んだ。この好運は、修交の途絶えた朝鮮と中国との関係を少しでも正常化に近づけ、朝鮮通信使の来日や長崎唐船貿易を可能にする条件を作ったといえよう。

また、薩摩藩に捕らわれた琉球国王の尚寧《しょうねい》が一六一〇年に駿府城の家康を訪れた際、家康は広間上段で「御対座」し、一国の王として丁重に礼遇した。これは家康が東アジアの政治力学を正確に理解し、琉球を朝鮮と同じく明との接点と見なす戦略的発想から来たのだろう。尚王家を皇族とせず侯爵に貶《おと》した明治政府とは異なる大局的判断力が家康にあった証左である。

世界的水準の政治家だった家康

明治新政府が首都を江戸改め東京にしたのは理由がある。一つには、江戸が治安の良さと公衆衛生の清潔さで他を圧していたこともある。

だが何よりも、大名屋敷の官公庁転用で無駄を省き、新たな行政司法機構や企業本社を創出して、参勤交代も含めた膨大な武家人口の需要で潤ってきた江戸の商人・職人と家族らに大量の失業者や廃業者を出さない、という百年の計を立てたからだ。明治維新一五〇年に当たる二〇一八年の陰に隠れがちな家康の業績を忘れてはならない。

「狸親仁《たぬきおやじ》が白髪首」と文楽『八陣守護城《はちじんしゅごのほんじょう》』で揶揄《やゆ》される家康のイメージは、世界史的水準の政治家の本質を歪《ゆが》めてきた。むしろ家康の器量を古代ギリシャの詩人アルキロコスの比喩で表すとすれば、たくさんのことに通じるキツネと、大きなことを一つだけ知っているハリネズミの両面を持つということだ。

三歳で母と生別した後、六歳から一九歳まで人質として辛酸を嘗《な》めた人生経験の豊かさは、武将・政治家に必要な戦略的構想力と戦術的緻密《ちみつ》さの糧ともなった。織田信長や豊臣秀吉に忍従したとき、彼はハリネズミの鋭さと独創性を隠し、キツネのように慎重に韜晦《とうかい》する術を身に付けた。しかし、いくら隠していても「嚢中《のうちゅう》の錐《きり》」は必ず袋を破って表に出るものであり、約四二〇年前の関ケ原合戦はまさに、錐が天下を衝《つ》いた瞬間だった。征夷大将軍宣下《せんげ》はその自然な結果にすぎない。

理想を現実に変える家康の忍耐力と決断力は、「われ一人腹を切《きり》て、万民を助くべし」という覚悟に象徴される。小牧長久手合戦後、秀吉に迫られた上洛を暗殺の陰謀だと案じる家臣には、それで戦が回避され多数の人命が助かるのなら、自己犠牲も厭《いと》わないと言い切ったという。この達観の境地は、洋の東西を問わず、過去も現在も最高指導者に必要な資質であろう。また家康は、和歌や能に耽《ふけ》らずとも政治家として必要な教養は身に付けていた。

大坂の陣の際、近くの村に片葉の芦《あし》があると聞いて芦を刈らせると、外孫の一人が此処《ここ》の芦は荻《おぎ》だと余計な注釈を加えたことがある。すると家康は「難波の芦は伊勢の浜荻」（世阿弥『芦刈』）という言葉を知らないのかと注意した。為政者として、物の名や風俗習慣は土地で違う有様を理解せよと、さりげなくたしなめたのだ。

世界の軍人政治家と比較すれば、カエサルのように『ガリア戦記』を書くほどの文筆家ではないが、ナポレオンばりに核心を突く警句を即妙に発する才には恵まれていた。

家康は、天皇の政務に関わる禁中並公家中諸法度を作る根拠として、朝廷や公家の秘蔵本を書写させた。この事業のおかげで火事を免れて後世に残った古典や記録類も多い。家康は、「王者たる者が特定の学問に深入りするのは良くない」と述べたウマイヤ朝初代カリフのムアーウィヤのように、統治者の本分にあくまで忠実に学問に接したのである。

家康はリーダーとして「足ることを知って足る者は常に足る」という老子の言葉を身に付けていたのではないか。「天下の政《まつりごと》は重箱を擂粉木《すりこぎ》にて洗ひ候がよろしき」とも家康は述べた。すりこぎでは四角の重箱の隅まで洗えないので、国政も些末《さまつ》なことに干渉せず大目に見るくらいがよいというのだ（『本阿弥行状記』）。

また家康は、「水も余りにきれいならば魚は住まない」という言葉もよく引いている。人を使うにも長所を評価し欠点を捨て置いた家康ほど、多彩な人材登用にたけた政治家は歴史に類を見ない。

豪商や彫金師、猿楽師、下級武士、没落公家や名門武家はもとより、英国人やオランダ人が側近だったのにも驚く他ない。「すべて人の価値を分からないのは、まったく自分の智を知らないからだ。才能や知恵がある者を使いこなせないあまり、役に立たない者とのみ国政を議論すべきではない」（『東照宮御実紀』附録巻十八）。

新天皇の即位と家康江戸入府四三〇年という歴史の節目を前に、現代人が家康とその時代の経験に学ぶべき点は多い。

（江戸入府４３０年：読売新聞「地球を読む」二〇一八年三月四日付）

三英傑のリーダーシップ——再考「ホトトギス」

日本史上の重要人物の性格をホトトギスに託して言い当てた句がある。皆さんも知っているように、それは次に挙げる有名な三句である。

「鳴かぬなら殺してしまえホトトギス」（織田信長）
「鳴かぬなら鳴かせてみしょうホトトギス」（豊臣秀吉）
「鳴かぬなら鳴くまでまとうホトトギス」（徳川家康）

信長の句が表しているのは、一度決断したら自分の思いを必ず実行する覚悟であり、思うようにならない時には相手を殺害しても決意を思い知らせる信長の強い意志力である。ただし、その決意はしばしば残酷さに結びついた。秀吉の句は、いろいろな困難や試練を自分の知恵と才覚で乗りきろうとする賢さを示しているのだろう。そして、家康の句には、子どもの時に父を殺害され自分も駿河（いまの静岡県）の今川義元の人質になった苦労人らしい家康の経験がおのずから滲《にじ》み出ている。さて、皆さんはどの句が好きで、どの武将をひいきにしているだろうか。

この三つは、信長の果断と決断力、秀吉の叡智《えいち》と発想力、家康の温和と忍耐力を言い当てた句とされてきた。三人は或る年の四月に同席して、ホトトギスが鳴かないのを不愉快に思い、句で自分の胸の内を明かしたのだろうか。残念ながら、三人が本当にこれらの句を同じ時に詠んだという確証はない。それでも、この句が現代まで伝えられてきたのは、三人の性格や人柄をよく表しているからであろう。もっと正確にいうと、中世末期から近世初期にかけて活躍し、戦国時代の無秩序や混乱にピリオドを打った三人について、今に至るまで日本人が何となく想像してきた各人の個性を巧みに表現したために、逆にこの句から歴史的実在としての信長・秀吉・家康のイメージが固まったともいえる。皆さんも私も、この句を通して三人の天才的政治家のイメージを描いているのだ。

実際には、イメージと歴史的事実（史実）との間にはズレがある。頭の中で想像をめぐらす人物の像と、歴史的に活躍した事実から浮かび上がる人物の像はピッタリと重ならないことも多い。短気とされる信長が戦では敵《かな》わぬと見た武田信玄や上杉謙信に対すると、言葉を和らげて下手《したて》に出る粘り強さを発揮したものだ。

また、知恵と着想で備中高松城を水攻めにし、理屈や損得を説いて敵将・清水宗治を切腹させ敵味方の犠牲を最小限に留めた秀吉には、甥の関白・豊臣秀次の一家を滅ぼす冷酷さや、隣国朝鮮に対する大義のない戦争で日本の兵力や国富を使い果たすなど理性を欠いた行動も見られた。家康にしても、戦場に立つと意外と短気な面を見せた。思うように戦が運ばないと爪を噛むクセを抑えられなかったのである。

こうしてみると、ホトトギスの句にまつわる逸話は事実とはいえず、三人の性格をすべて正しく表したものではない。それでも、この三句は三人の有名武将の果たした歴史的役割や人格的感化力の強さを一般的に言い表したかったのだろう。皆さんや私などの現代人も、時には真面目に時にはふざけて、実在する政治家などの有名人はもとより、ドラマでのみ存在する半沢直樹の行動や性格を、彼らを象徴する言葉や身振りで表すことがある。ホトトギスの句は、いわばドラマの決めゼリフのようなものかもしれない。

さて、皆さんはホトトギスの句の中でどれがいちばん好きだろうか。この場合、句が好きだから、この人物が好きだという人もいるだろう。しかし、信長・秀吉・家康のうち、ひいきの武将・政治家だから、その句が好きだという人もいるに違いない。

三つの句がうたわれた時、同席していた者が別の句を詠んだという説がある。

「鳴かぬなら鳴かぬのもよしホトトギス」

これは里村紹巴《じょうは》という連歌師の作品だという。家康の「鳴くまでまとう」という忍耐力や、秀吉の「鳴かせてみしょう」の発想力とも違い、動物愛護を無理なく受け入れる現代人の常識力に通じるところがある。生物をその場所においてありのままに受け入れる句には、英雄たちと異なる普通の優しさもあり、意外と皆さんも共感できる句ではないだろうか。

（ホトトギスの句――人間の性格とは何か：月刊「書写書道」二〇二〇年一一月号）

コロナ危機には家康型リーダーシップを

令和五年に放送されるＮＨＫ大河ドラマは、戦国時代を終わらせた三大政治家の一人、徳川家康が主人公の「どうする家康」に決まった。アイドルグループ「嵐」の松本潤さんが家康にふんするとは、まことに楽しみである。コロナ禍を経験した国民に勇気と未来への希望を与える演技を期待したい。

　他方、危機における指導者の在り方といえば、織田信長を思い出す人も多いであろう。どの調査でも、期待度は織田信長が半分ほど、豊臣秀吉が二割強、徳川家康が二割弱といったところか。高校生の間でも信長が人気トップらしい。理由としては、「かっこいいから」「強いから」「カリスマ性」「改革者として魅力的」「決断力があり、リーダーシップをとれる」などを挙げるようだ。

　しかし信長には、家康にはない残虐さという欠点もある。豊臣秀吉も甥《おい》の秀次一家の虐殺や朝鮮出兵など、晩年は残酷な面がすこぶる目立つ。信長や秀吉は戦国の英雄として目立つにせよ、平時の統治者としては欠けるところがあった。日本人のような平和愛好国民が戦国時代や信長を好きだというのは不思議である。コロナ危機の解決に信長タイプを期待する向きは、私権や自由の制限など非常時の手法を是認するということなのだろうか。

　家康についての、「天下統一」「長い間続いた江戸幕府の基礎をつくる」「心が広く、穏やかな人柄」「賢い頭脳」という一般的評価は、家康と江戸幕府の性格をうまく言い表している。天下統一と二七〇年の平和確立の事業は、コロナ禍で生活のルールや日常性が破壊された社会の再建にも匹敵するといえば、現代人には分かりやすいか。

　しかし、信長や秀吉のように指導者が優れていても、その意志を体して働く部下がシステムとして機能しないと危機の解決は一時的なものになる。「千金の裘《きゅう》は一狐の腋《えき》に非《あら》ず」という言葉がある（『史記』劉敬叔孫通伝）。高価な皮衣は一匹の狐のわきの毛皮だけでは作れないという意味だ。国を治めるには多くのすぐれた人物が必要だというたとえであり、コロナ禍を乗り切るには政府がシステムとして機能しなくてはならない。

　目立つだけなら信長や秀吉ばりの知事・国会議員もいるかもしれない。しかし、官僚や専門家をうまく使いこなした家康を範とするような政治家は、小選挙区制の弊害で与野党ともに少なくなった。そもそも、政治主導や官邸主導の時代が続いた結果、各省庁の官僚は萎縮し、日本には危機突破を戦略的にデザインできる集団が減ってしまった。コロナ禍の危機的本質はこの点にもある。

　「われ一人腹を切《きり》て、万民を助くべし」とは家康の名言である。秀吉の奸計を危ぶんだ家臣たちに、自分が死んでも人びとが幸せになれば本望だとの責任感を示した。菅義偉《すがよしひで》首相が一〇〇年に一度の大危機克服のために政治生命をかけるとすれば、この責任感こそ政治家の本懐というべきではなかろうか。歴史に名を残すとは、名を惜しむということなのだ。

関ケ原を制した戦略的大局観

（家康の責任感とコロナ禍：産経新聞「歴史の交差点」二〇二一年一月三一日付）

船のかじを取る人は命令を出す役を他人に任せることもできるが、政治家は自らかじを取る気骨だけでなく、自ら命令を出す言葉を持たねばならぬ。これはプルタルコスの言葉である（「政治家になるための教訓集」『モラリア』9）。将たる者は先頭に立って兵を指揮し、必要なら船のかじを自ら取る必要もある。大局的にいかなる戦略で何を目指すのか、誰が「主敵」で、それを倒すにはいかに味方を増やすのか。この青写真がなければ、勝利はもとより理想の実現もおぼつかない。

関ケ原合戦をめぐる徳川家康と毛利輝元の振る舞いは対照的である。輝元は西軍の総大将なのに大坂城に籠もり、天下取りの関ケ原合戦につながる濃尾や伊勢の前哨戦に援兵を送らず、北四国や北九州の局地戦での領土拡大に精を出した。中原《ちゅうげん》に鹿を逐《お》うて天下を望むのか、家康の会津遠征で領地を空けた四国九州の東軍武将の留守中に「火事場泥棒」に甘んじるのか、輝元の戦略は定まっていなかった。関ケ原合戦で家康本陣の背後にあたる、南宮山に毛利の兵を置いても、東西いずれが勝とうと毛利こそ漁夫の利を得るために参戦しなかったのではないか。

天下取りのため西に向かいながら、家康が関八州で小利を得る姿は空想的にも考えられない。関ケ原合戦の直前に、関東を鎮定してから西に上がるべきだという井伊直政や本多忠勝の進言に対して、言語道断と叱り、自分は若いころから合戦で場数を重ねてきたと次のように言い切った。「磯をせせりていかがせん。大場へ押出して、一合戦して果たすべし。早々汝共ハ罷上給へ」（根源をたたなければ懸案は解決できない。本舞台に押し出し一大合戦で決着をつけねばならない。お前たちはすぐに西へ攻め上がれ）。『三河物語』（下）で、この逸事を紹介した大久保彦左衛門も心なしか誇らしげである。

輝元になかったのは、断じて行えば鬼神も之《これ》を避くという気迫である。考えを間違いなく周囲に伝える明確な指示もなかった。政局の変動に応じた判断と、政治の弾力に対応する柔軟性も欠けていた。もし家康が輝元の立場にあったなら、第一段階で関ケ原に幼主・豊臣秀頼を担ぎ出せず、戦局を傍観したあまり西軍が敗北した場合でも、第二段階で何ができるかを考えたはずだ。天下の堅城に拠《よ》る戦略的優勢と「玉」の秀頼を戴《いただ》く政治的優位性はまだ消えていない。大坂に逃れた西軍には立花宗茂や島津義弘のように再戦を望む勇将も残っており、乾坤一擲《けんこんいってき》の勝負を挑む選択も残されていた。関ケ原にいた毛利秀元が率いる本軍は、大坂にほぼ無傷で帰還した。輝元は、戦中戦後の両局面で天下を窺《うかが》える好機に二度も恵まれながら、重要な決断に踏み切れなかった。

必要なのは、誤解のない態度と説明できる言葉を大切にすることだ。

（戦略・説明…関ケ原と角界：産経新聞「歴史の交差点」二〇一七年一二月二五日付）

倹約と吝嗇は似て非なるもの

平昌《ピョンチャン》五輪で活躍した日本人選手たちは、普段から地道な練習を重ねてきた。彼らを支援する企業や病院などは、金の使い方という点できれいな印象を残している。メダリストが得た栄誉に対して各種の報奨金が与えられるのも喜ばしい。節約して蓄えてきた金をここぞというときに使うのは、最も手本になる金の使い方であろう。日本史でよく引き合いに出されるのは、派手な浪費家の豊臣秀吉と、堅実な倹約家の徳川家康の対照である。

吝嗇《りんしょく》と始末、「けち」と節約とでは意味が違う。家康は、使うときにはよく使っている。関ケ原合戦後に西軍の大名の没収高の八〇％以上を東軍の外様大名の加増に充てた。しかも、細かいことを言わずに、土佐や筑前という国単位で豪気に与えたものだ（山内昌之『将軍の世紀』上）。家康は日常の倹約を心掛けていても、武将としてここを先途《せんど》というときには出費を惜しまなかった。

　幕府の正史ともいうべき『徳川実紀』は、大坂の陣のとき、諸大名の軍勢三〇万に一日一五〇〇石ずつの兵糧米をふるまい、前田や伊達には将軍秀忠が銀三〇〇枚、家康が銀二〇〇枚あわせて五〇〇枚も与えたと記している。銀一枚をひとまず五〇匁《もんめ》金一両とすれば、およそ現在の一二万円となり六〇〇〇万円を気前よく与えたことになる。また、人数を水増しして米を得ようという大名も出たというが、家康は「節倹も時による。城中を攻める兵力の多寡の証拠は、米の配分によることなので、何事も多く与えるのが良策というものだ」と鷹揚《おうよう》にかわした（『東照宮御実紀』附録巻十四）。

　敵にこちらが雲霞《うんか》のごとき大軍だと思わせ戦意を喪失させるというのだ。政治や軍事の世界では、日常で節約を重ねても、たくさん振る舞うときには金を惜しまないことが大事なのだ。それが政治的に効果を生み周囲に影響を及ぼすのである。

　書家・工芸家の本阿《ほんあ》弥《み》光悦《こうえつ》は家康について巧《うま》いことを述べている。家康は側室や女中も連れず、駿河から江戸に鷹狩をしながら出かけた。武家として「古風で優雅な珍重すべき品行」というべきだ。家康は無駄な出費を避け、下々に倹約の手本を示したかったのだろう。

光悦は、「そのようにして貴賤問わずに倹約をもっぱらお示しいただき有りがたいことだ」と評価する一方、貴人が倹約しすぎると、織屋のような職人は生活の手段がなくなるのではないか、と金の流通を心配する。

貴人には貴人の倹約法がある。太閤は贅沢《ぜいたく》をとことん究めたにせよ、いつの時代でも倹約は人間が常に守るべき生活態度だと強調する。下々の者が苦しまない程度に倹約の在り方を示しながらも、消費と流通の微妙な綾《あや》を為政者が理解しないと世の中が不景気に陥って大変なことになる。「倹約と吝嗇と取違へ候ものまま是あり候」（『本阿弥行状記』第一九段）というのは、古今東西の真理である。陶芸から刀剣の目利きまでマルチアーティストだった光悦の見方は、金融緩和がしきりに話題になる現代日本でも学ぶべき教えがある。

（倹約と吝嗇の違い：産経新聞「歴史の交差点」二〇一八年三月一一日付）

関ケ原　敗者の戦後

歴史を露骨に改竄《かいざん》せずとも、解釈に潤色を加えるのは、勝者だけではない。時には敗者も自らの政治選択や軍事敗北を弁解するために歴史を修正することがある。関ケ原戦後の吉川《きっかわ》広家が恩賞として徳川家康から授与された長門と周防を辞退し、改易寸前の毛利本家に譲ったという美談もその例かもしれない。

『寛政重修諸家譜《ちょうしゅうしょかふ》』によれば、慶長五年一〇月三日に家康は毛利輝元の所領をすべて召し上げ、広家に防長二州を与えると伝えた。すると、広家は「広家ひとり上賞をかうぶらんは、宗家を捨て一身の栄をむさぼるに似たり。義にをいて安んじがたし」と述べ、二州を輝元父子に賜《たま》うよう懇願したというのだ。「十日ふたゝび広家をめされ、広家一己の栄をむさぼらず。ひとへに宗家をたてんことを願ふ貞信の志、深く感じおぼしめすところなり」。家康は広家に周防の上方口（岩国）に住し、安芸（広島）の福島正則と力を合わせて中国の鎮護たるべし、と命じたともいう（『寛政重修諸家譜』巻六百十八）。

出来過ぎた話であるが、この美談は、『吉川家文書』『毛利家文書』のどの史料にも出てこない。よく似た内容は、広家が黒田長政と正則に宛てた手紙（一〇月三日）や長政から広家に送られた二通の手紙（二日と三日）にある。しかし、これらは手紙を送った側や受けた側にはなく、吉川家側にしか保存されていない。

そこで、日本史学者の光成準治氏はこれらの手紙が偽作であるとし、広家が毛利を救ったという通説に疑義を呈した。関ケ原後、十数年たった慶長年間末になっても、広家は南宮山の毛利秀元の作戦を邪魔したと悪口を言われ、毛利家中で白眼視されていた。精神的苦痛を感じた広家は家康への内通を正当化する物語を作り上げたというのだ（『吉川広家』戎光祥出版）。歴史の修正は、むしろ吉川家にとり敗者の戦後として芳《かんば》しくない結果をもたらした。

江戸時代きっての歴史家でもある新井白石も『藩翰譜《はんかんふ》』では広家をあまり評価しない。吉川家は江戸期を通して正式の大名になったことはない。平戸藩主だった松浦《まつら》静山（清《きよし》）も、「吉川氏は萩侯に属す。陪臣《ばいしん》の如《ごと》きものなり」という感想を漏らした（『甲子夜話《かっしやわ》』巻四十一の二）。しかし、輿《こし》（駕籠《かご》）にも乗れる権利をもち、行列で二本槍《やり》を立てたというから、大名の扱いではあった。

静山が殿中で会ったとき、吉川氏は無官ながら白無垢《むく》を着ていた。白無垢とは従五位以上の者が礼服の下に着る白羽二重であり、大名には許された。高家《こうけ》（家格が高い礼典担当の上級旗本）や交代寄合（参勤交代をする旗本）なら無位無官でも白無垢が許されており、吉川家は大名、高家、交代寄合の三者がクロスするあたりに相当する珍しい家格だったのだろう。もちろん将軍から領知朱印状（所領を安堵《あんど》する公文書）は出ていない。陪臣にして大名扱いとは、毛利敗戦の後遺症を引きずっていたからだろう。いわば鳥類と哺乳類の特徴をもったカモノハシのような独特な存在だったのである（山内昌之・中村彰彦『黒船以降』第三章）。

（関ケ原　敗者の戦後：産経新聞「歴史の交差点」二〇一八年一二月一七日付）

初代と二代目の関係

二代目の苦労というものがある。あまりに成功しすぎた父を持つ子は、どれほど資質と才能に恵まれていても生涯、父と比較されて割を食うことが多い。

この点で、徳川家康と第二代将軍秀忠の関係ほど歴史の教訓にあふれている例も珍しい。何よりも父に誠心誠意仕えた秀忠は、人知れず二代目の苦悩を味わったに違いないからだ。

一七世紀に『イエズス会史』を著したダニエッロ・バルトリは、家康と秀忠の人物像を比較しながら次のように描いている。将軍《シヨウグン》秀忠は仏僧によって育てられたので、乳と同量ほどの毒を吸っていた。キリストをすこぶる憎み、秀忠の「良識は人間の半分以下、残酷さは野獣の二倍以上」だとすこぶる手厳しい。

他方、亡くなった皇帝《インペラトーレ》の内府様（家康）は「老齢で冷淡かつ理性の円熟のため性急でなくむしろのろい、また温和な性格の父親」であった。それでも、うわべだけの熱心な信仰や権力への「ねたみ」から、キリスト教徒に残酷になった。とすれば、家康の「善性」をまったく持ち合わせず、悪徳をすべて自分に集めただけでなく倍加させた秀忠はいかなることをするか、と危惧するのだ（『十六・七世紀イエズス会日本報告集』Ⅱの2）。秀忠の性格の一端がバチカンにも伝わっていた点は興味深い。

しかし、スペインやポルトガルなど日本から排除されたカトリック勢力の認識は、プロテスタント系の見方と比べるなら、秀忠への偏見にあふれすぎている。イギリスの平戸商館長リチャード・コックスはむしろ、秀忠の善性を強調していた。たとえば、彼は元和三（一六一七）年九月の日記に「噂によれば」と保留しながらも、朝鮮使節が「現在の陛下」（秀忠）が戦争や流血に頼らず静かに家康の後の地位を受け継いだことを「恭敬」するために来日したと書いた。

その真偽は別に実証されるべきだが、秀忠は家康のように、朝鮮人を彼の保護下におき、もし他の国民がその安全を脅かすなら外国の侵略から朝鮮人を防護するように要望するために朝鮮使節が来日した、とコックスは秀忠に好意的なのだ（『イギリス商館長日記』原文編中、一六一七年九月二〇日条英文)。

家康と秀忠のように節度ある冷静な権力継承を成功させた父と子であっても、その末端に行けば家臣らが衝突することもあったのは興味深い。秀忠が将軍宣下《せんげ》を受けた慶長一〇(一六〇五)年五月、新将軍が滞在中の伏見で能を見物していると、その小者と家康の手《て》下《か》らが喧嘩《けんか》し、手負いや死者が多数出た。諍《いさか》いは江戸での喧嘩の意趣返しらしい(『当代記』慶長一〇年五月三日四日五日条)。

二元政治の運用を成功させる大事な要素は、隠居と当主との関係にもまして、家臣同士が互いの主人の威を借りず、角を突き合わせないことにある。家康と秀忠は大局的にうまくいった初代と二代目の関係といえるだろう。現代の創業者と後継者、会長と社長との関係を考える上でも示唆に富む親子の話である。


(初代と二代目の関係:産経新聞「歴史の交差点」二〇一八年一〇月二二日付)

煤払いに学ぶ政治

令和三年の師走も押し迫ってきた。三月や五月なら、上巳《じょうし》の節句や端午の節句など目出《めで》度《た》い行事をすぐ思い出せるが、一二月は存外にイメージが湧かないと言う人も多い。最近出された『大名の江戸暮らし事典』（松尾美恵子・藤實久美子編、柊風社）を繙《ひもと》くと、江戸城や各藩邸では、重要行事として煤掃《すすはき》が一三日に行われたことが分かる。

　面白いのは、煤払いをするために、わざわざ秘仏の本尊を開帳する寺院も多かったことだ。早くも一二月九日には三田魚籃《ぎょらん》観音でも煤払いに託して開帳が行われていた。こう指摘した『東都歳事記』（新訂・下巻、市古夏生・鈴木健一校訂、ちくま学芸文庫）はさらに、ほぼ同時期に煤払いと開帳を行った例として、目黒不動尊、浅草寺観世音、（谷中天王寺毘沙門などを挙げている。江戸時代の事例は、おそらく煤払いに託して、本尊を人びとに拝ませる好意の表れなのだろう。いまでも定日とは別に、年末に特別に開帳する寺が多いかもしれない。

　江戸時代の百科事典ともいうべき『和漢三才図会《わかんさんさいずえ》』（巻五十八）によれば、家の梁《はり》はみな煙に染まると真っ黒になり、そこに塵埃《じんあい》が混じったのを「すす」と呼んだのである。かつては貴賤《きせん》を問わずに、一二月一三日に煤払いをする慣習が普通であった。家の内に煤竹を入れて、すす餅で祝うのを定例としていた。冬至を迎えてまもなく、曙《あけぼの》の空から畳をたたく音がしたかと思えば、冬の日影は早くも昼を告げる頃になる。

芭蕉には、「煤掃《すすはき》は己が棚つる大工かな」という名句がある。普段は依頼された仕事で忙しい大工が、年末の煤掃ともなれば、家族に催促されて家の棚を作るなど、体裁を脇に措《お》いてまめに働くというのだ。これは年末でないと見られぬ光景だと芭蕉は揶揄《やゆ》したのだろう。武家に家来として仕える用人はしばしば味噌用人や味噌と通称されたが、この武骨者も袋をかぶり蓑《みの》を着て煤払いをした。

あれこれの家具を直して、行灯《あんどん》の紙を張り替えるなどして一日が終わる。たづくり、膾《なます》、浅漬けの香りを楽しみながら膳を終えるのも煤払いの日の恒例だったらしい。一日の疲れからすぐ高鼾《たかいびき》をかいて睡眠する様子を芭蕉が詠《うた》ったとされる句には、風情がある。

すすはきやくれゆく宿のたかいびき

新宅であれば、三年間は煤竹を入れないという古来からの言い伝えがあった（『貞丈雑記』巻一）。厄介ごとを自ら招かないという戒めであろう。しかし、自分が入れなくても、平気で自分の家に煤竹を入れてくる他人もいる。この無礼を放置する者はいないはずだ。国の場合も同じである。新政権の岸田文雄首相、林芳正外相の北京五輪に対する外交的態度表明は遅れていた。日本政府は煤竹を持ち出すのが遅すぎないか。いわゆる「喧嘩《けんか》過ぎての棒千切《ちぎ》り」（時機に遅れては効果がない）にならないことを切に望みたい。

（煤払いと政治：産経新聞「歴史の交差点」二〇二一年一二月二六日付）

常識否定の幕末維新史

幕末維新期は、日本人なら誰でも興味をそそられる時代である。おまけに、西郷隆盛、高杉晋作、勝海舟といったスター級の登場人物にも事欠かない。なかでも、司馬遼太郎が描いた坂本龍馬は、今なら野球の大谷翔平選手や将棋の藤井聡太六冠くらいの有名人だったのでは、と錯覚させるほどの輝きを放つ。

しかし残念なことに、歴史の実像は文学の虚像とは相当に異なる。龍馬の場合もそうだ。最近出された町田明広編『幕末維新史への招待』（山川出版社）は、歴史の虚実を冷静に分析する研究最前線の最新時代像を知る上で格好の書物である。

神田外語大教授の町田氏によれば、龍馬が塾頭に就いたのは、幕府の神戸海軍操練所ではなく勝の私塾であり、亀山社中も実在しなかったらしい。彼が薩長同盟を成立させる一翼を担ったことは間違いないにせよ、龍馬一人の功績ではなかった。また、船中八策の存在そのものを否定する学者もおり、大政奉還も龍馬だけの手柄とは言いがたい。こうなると、大方の日本人の龍馬像がガラガラと崩れ落ちかねない。もっとも、この責任はわれわれ読者が勝手に龍馬を理想化しすぎる非歴史主義的思考にもあるといえよう。

もっと地味なところでは、日本史教科書にある親藩・譜代・外様などの区分も最近では重視されないことだ。老中といえば譜代大名が就く職だと思い込んでいた人は、幕末に蝦夷福山城主の外様大名が老中に就いたことを知って驚くかもしれない。この福山とは松前のことである。徳川林政史研究所研究員の藤田英昭氏によると、老中は三万石以上の城主が務める。譜代・外様を問わず、徳川の「臣下」なら就任できるというのだ。

ところが、彼らが属した徳川の「領国」ではなく、別の「国」の主と見なされた「国主」という格式の大名たちがいた。国主は幕政に関与できない。前田・島津・伊達・黒田・細川などの国持《くにもち》大名は、徳川の領国とは別の「国」の主であり、徳川は原則的に彼らの領地の事柄に介入できなかった。彼らはあくまでも「客分」なのである。客がさまざまな幕府役職に就くのはおかしいのだ。従って、国主大名は老中や側用人らだけが入れた「奥」の部屋に呼ばれることはない。この理屈を無視する映画や小説も多い。

龍馬の役割だけ強調されがちの大政奉還も、最近では何故に徳川慶喜が自分から進んで権力を手放そうとしたのか、新たな解釈が出されている。これまでは、慶喜は本心では将軍中心の徳川絶対主義路線を考えていたと主張する学者もいた。最近では、むしろ慶喜は朝廷中心の公議政体で自分が主導権を取り、天皇を形式的に上に立てながら、自分が朝廷の中心を占める政権構想を練っていたという見方も強い。司馬遼太郎は慶喜を優柔不断と日和見の徒として描きがちだが、実際には冷静に自他の力関係を測り、熟慮を重ねながら大政奉還などの重要事項に決断を下したという大東文化大教授・久住《くすみ》真也氏の主張も説得力を帯びているのではないか。

（常識否定の幕末維新史：産経新聞「歴史の交差点」二〇二三年四月二三日付）

松陰をいさめた山県太華のリアリズム

歴史上の偉人といえども、人間である以上、発想に無理がある場合が少なくない。実際に政策にしたら、実行不可能なばかりか、日本の国民が塗炭《とたん》の苦しみに陥ることを全く考えない人物も多かった。幕末、尊王攘夷運動の先駆者、水戸の徳川斉昭《なりあき》（烈公）や藤田東《とう》湖《こ》もそうではないか。二人に共通するのは、ペリー提督に象徴される悪なる墨夷《ぼくい》（アメリカ人）はじめ、夷狄《いてき》をすぐに斬るか、打ち払って日本から遠ざけるという確固たる信念である。斉昭や東湖は、アメリカとのやり取りが戦争に発展して国土が焼尽するだけでなく、回復しがたい打撃を受ける事態をイメージとして描けなかったのだ。

斉昭や東湖ほどでなくても、吉田松陰にも似たところがあった。松陰は代表作『講孟余話《こうもうよわ》』において、ペリー来航の際、戦争で必勝の信念がなく「陋夷《ろうい》の小醜に従ふ」（劣った夷狄のこざかしさに従属する）に至ったことを批判した（『吉田松陰全集』第三巻、マツノ書店）。

同じ長州藩の元明倫館学頭・山県太華《やまがたたいか》は、アメリカやロシアも「主命を奉じて我が邦に来る」のであり、彼らは利害を説いて貿易などを希望し、「大国」として対等の礼で来航したと冷静に語り、激しく憤る松陰をいさめた。さらに、彼らは、言葉で「少しき不遜の形」はあるにせよ、許すべきであるという。「何ぞ必ずしも兵を以て是れを撃つに至らん」と松陰の血気をたしなめる。

しかも、日本の武備が衰えている現在、彼らがすぐれた武器で江戸を攻撃すれば、騒動は大方でなく海運も滞り、人びとは飢餓に苦しむ。大坂も放火されると禁裏（朝廷）を驚かすことになる。使臣の言動がやや不遜だからといって、どうして深く怒って兵を用い、恨みを外国から買う必要があるのだろうか、という太華の主張には無理がない。彼らは「来りて寇《こう》するに非ず」と、侵略でなく使節を派遣してきたのだと、その平和的性格を強調するのである。

また、使いが来れば使者を遇する礼があり、来寇なら力を尽して防ぐべきだ、と太華は説いた。

「陋夷の小醜に従ふ」についても、かつて中国で海外の国を「蛮夷」と蔑《さげす》んだのはもはや根拠もなく「皆人の国」であるのにおかしいと批判した。つまり、アメリカなど海外の国は代々日本に悪いことをしておらず、何故に憎む必要があるのだろうかと素直に世の中を見るのである。

「天より見給ふ時は同じく人の世界にて、厚薄貴賤の別はなきことなり」。このように落ち着いた論を立てた太華は、古来、北から侵された中国の理屈にならった極端な海防策や攘夷を説く議論を否定する。これは松陰にも影響を与えた斉昭や東湖らの水戸学をひそかに揶揄《やゆ》したものにほかならない（山県太華『講孟劄記《さつき》評語』）。太華は正しい。ただし太華であれば、現代の国際情勢で日本の安全保障が脅かされている現実を、「それが存在しない」かのように思い込むことはなかったであろう。

（素直に社会を見る大切さ：産経新聞「歴史の交差点」二〇二一年四月二六日付）

『日本外史』は倒幕の書にあらず

頼山陽《らいさんよう》の『日本外史』（上中下、岩波文庫）は、司馬遼太郎の小説と同じくらい面白い。しかし、司馬文学は『日本外史』ほど歴史の事実にこだわらない。そして山陽は『坂の上の雲』のように人物を芸術的に脚色したわけではない。ただ、双方の叙述に共通するのは、どの時代の内乱や戦争をとりあげても、人びとの平和に対する希求を大切にしている点なのだ。

　山陽で誤解されるのは、『日本外史』が幕末勤王の志士に影響を与えた反徳川・反幕府の書物だという点にある。これは正しくない。『外史』冒頭の「例言」の四は、わざわざ「我が徳川氏」によって平和と繁栄の統治がもたらされたと明言している。徳川末期に生きる者は、もはや以前の騒乱に詳しくなく、自分が生きている時代の幸福のありがたみを知らないと確言するのだ。山陽によれば、『外史』に接する者は、最初から順を追って最後まで読めば、「その生の幸」が分かる。この書の結びは、「衣類も荷物も無防備のままに食糧をもたずに旅をできるのは、誰の力だろうか」と問うた。こうして、源平このかた平和の時期が少なく兵乱が多かった歴史に終止符を打った徳川家康の功業を高く評価したのである。

『外史』を素直に読めば、頼山陽が倒幕思想家でないことはすぐに分かる。しかし、書物の三分の一弱も占める「徳川氏正記」の部分をわざと読まずに『外史』を弟子たちに講じた人物もいた。吉田松陰にほかならない。濱野靖一郎《せいいちろう》氏の『頼山陽の思想』（東京大学出版会）によれば、松陰は途中の「毛利氏」から講読することが多く、「徳川氏」を塾生と一緒に読むことはなかった。陶晴賢《すえはるかた》を討った毛利元就の「義」を強調し、関ケ原合戦の政治処理で領地を削られた毛利家（幕末の長州藩）の屈辱をまず門下生が学ぶような読み方なのである。

果たして、これで歴史を正しく理解できるのかという疑問がすぐに湧く。松陰と弟子たちは、徳川家康と江戸幕府の平和統治を学ばないだけでない。天下を「民」の天下と考える山陽と、「一人」（天皇）の天下と信じる松陰の違いはこれまでも指摘されてきた。そのうえ、「人命至重」を主張し海外膨張を否定した山陽に対して、松陰は激しく反発した。「純粋」な信念に由来する過激な行動を是認する松陰と、政治の結果責任を重んじる山陽はあまりにも異質だった（濱野氏）。

私が松陰で気になるのは、歴史家における「ヘロドトスの悪意」のいくつかに陥っていることだ。プルタルコスのいう「ヘロドトスの悪意」の第三とは、「立派なこと、賞讃《しょうさん》に値《あたい》することを省略」することである（『モラリア』10）。家康や徳川氏の二〇〇年以上の平和の果実を無視し、時代を超越して「楠氏」（正成《まさしげ》）の忠誠や悲運に慷慨《こうがい》する講義では、いきおい自分を正成に擬《なぞら》え、徳川の平和と繁栄の意味を理解しない塾生を育てることにならないのか。高杉晋作はじめ松陰門下生たちが何かと幕府の営みに「難癖」をつけ、その失敗を喜んだのは、『外史』の誤読による不公平な歴史評価と無縁だったはずがない。

（「日本外史」の誤読：産経新聞「歴史の交差点」二〇二三年一〇月一七日付）

孝明天皇の死因をめぐる謎

歴史学の研究では十二分に論じられていないテーマが多い。幕末の孝明天皇の死をめぐる謎もその一つであろう。大きく言えば、病死か毒殺かということだ。毒殺説はひとまずおいておく。病死説とは、天皇が痘瘡《とうそう》とくに悪質な紫斑性痘瘡ないし出血性膿疱《のうほう》性痘瘡によって死亡したという説である。この二つとも出血性痘瘡と呼ばれるものだ。

ところが最近、医学者の橋本博雄氏は「孝明天皇と痘瘡」なる論文で、天皇が通常型痘瘡の症状を示しており、痘瘡が死亡原因とは考えにくいという見解を示した（日本医史学会関西支部『医譚』通巻一二九号、二〇二〇年一二月）。橋本氏は典医や女官の日記にも依拠しながら、孝明天皇が慶応二年一二月一二日に発病しながら、二四日から結痂《けっか》（かさぶたができる）期に入ると予想される回復ぶりだったと指摘する。

前発疹期から一二日で結痂期になるのは、通常型痘瘡の経過とほぼ一致しており、病状も回復途上にあったとされる。食も一九日には「湯之下御一碗」だったのが、二三日には片栗粉菓子・おひたし・干し飯一碗《わん》・もろこし六粒などになり、食欲も回復していった。孝明天皇は二三日まで通常型痘瘡の経過をたどっていたのに、二四日に急に容体が変化し、二五日には死亡したのである。

ある史料には、「御九穴より御脱血」とあるので、主として粘膜から出血して死に至る痘瘡もあるのかと、橋本氏は問いを進める。世界保健機関（ＷＨＯ）の分類に従って、五種類のうち四種類は天皇の症状に該当しないと証明した。残された出血型は早期と後期に区分されるが、早期出血型は電撃型痘瘡というくらいで発熱後六日くらいに突如死ぬので、天皇の症状とは違う。後期出血型では発疹出現後も頭痛などの激しい症状が治まらず、発疹が膿疱まで進んだ天皇の症状は後期出血型と異なるというのだ。

橋本氏はニュージーランドの医学者の説にも依拠しながら、天皇の痘瘡が予後良好の通常型で痘疹から出血した可能性があることを紹介する。その後の症状は通常型の通りに進み、紫斑も自然に消えてしまう。いずれにせよ、天皇が日を追って回復していく様子は諸種の日記にも書かれている。祈禱《きとう》にあたった湛海《たんかい》僧正の日記では、二〇日に天皇の具合がだいぶ回復し、三〇両の謝礼が「下しおかれ」た。二一日の典医日記には、「もう峠は越した。後はご快復を待つばかり」とあったのに、二四日夕から容体が急変し、二五日に急逝したのだ。

天皇を治療した一五人の典医でもない人物は死因を黒疱瘡《ほうそう》（出血性膿疱性痘瘡）に求めたが、これだと発疹発現後も激しい症状が続くはずだ。それなのに、天皇にはその症状がない。とすれば、痘瘡が直接に死をもたらしたという説にも疑問が残ることになる。だからといって、すぐ自動的に毒殺説有力とはならない。

橋本氏も、天皇が通常型痘瘡であり治癒に向かっていた点までを禁欲的に説明したのである。医学の立場から冷静な症状分析を進めることで、今後の歴史学研究にも刺激を与えられた橋本氏に敬意を表しておきたい。

（孝明天皇の死因：産経新聞「歴史の交差点」二〇二一年一〇月二四日付）

殿様と酒――容堂・久光・慶喜

「斗酒《としゅ》なお辞せず」という言葉がある。底なしに酒を飲み干せることだ。私は、大相撲の或《あ》る親方に「現役時代は一晩で一斗（一〇升）ほども飲みましたか」と尋ねたことがある。酒豪の親方は、「いやあ、さすがに一斗は」とはにかんで、五、六升かなあと破顔一笑した。ところが、江戸時代には数日で五斗も飲んだ殿様がいた。幕末大名きっての酒徒、土佐の山内容堂（豊信《とよしげ》）である。幕末維新史の研究者、家近良樹氏の最新著『酔鯨　山内容堂の軌跡』（講談社現代新書）は、容堂と土佐藩の高い政治力とその挫折を描いた力作である。容堂の成功と失敗にはいつも酒がつきまとう。これは従来も知られていたが、氏はそれを人間関係の複雑なアヤの中で分析している。元治元（一八六四）年正月に一橋慶喜・島津久光・松平春嶽《しゅんがく》らとの参与会議（朝廷の政務を決定する会合）へ出席するために、容堂が土佐から京都に向かう途中のことだった。

容堂は船中あまりに寒いので酒を飲んだが、酔えずに伏見へ着くまで五斗を飲み干したというのだ。家近氏は、信じがたい酒量ながら当人が「五斗先生」と号しているので、まんざら嘘でもないと指摘する。私も妙に納得した気分になった。

容堂は、一〇歳年長の久光とは気質も思考法も違っていた。久光はあまり酒が飲めないたちだったらしい。真面目一方の堅物と破天荒な粋人では、ソリも合わなかった。慶喜は容堂ほど飲まないが、何かで政治芝居を打つとか、わざと相手を怒らせるとか、時には酒をからめることもあった。期待の参与会議はあっという間につぶれてしまった。各自の思惑が違っていたからだ。一度開いた横浜の鎖港に賛成するのは容堂や慶喜であり、開港貿易を主張するのは久光である。孝明天皇の強い意志は鎖港にある。家近氏の本を読むと、決裂の小道具になったのは酒だという気がしてならない。参与会議とその前後に、容堂は酒気を帯びて激烈な論をよく主張した。しかし、「所論至当なり」と参与の伊達宗城《むねなり》（宇和島藩）に褒められるほど、酩酊《めいてい》しても理屈はしっかりしていた。とはいえ久光は納得しない。次の日、二人は長州戦争の処理をめぐって又《また》もや対立する。今度の容堂は酒が入っても大声を出すだけだ。会議は成果を出せず、酒宴のみ開いて無益という有様《ありさま》になった。容堂を引き立てた盟友の松平春嶽も呆《あき》れたのである。

やや経《た》って中川宮邸で容堂欠席のままに、慶喜と久光との間に「容堂の酔劇の再演」が繰り広げられる。慶喜は浴びるように酒を飲み、宮を薩摩の言いなりと決めつけ、久光を春嶽や宗城ともども「天下の大愚物」と嘲笑した。慶喜と容堂は、酒が入ると怒りが頂点に達して相手を追い詰める言葉がすんなりと出てくる。生理的に久光や薩摩藩を嫌いなのだ。つまり二人は政治家としてもウマがあったのである。とにかく容堂が酒を抑えて久光嫌いを腹に収めるのは不可能に近い。「日日　我の酔うこと　終に涯《はて》無し」とは南宋の詩人、陸游《りくゆう》の作である。まるで容堂のためにある詩文ではないか。

（殿様と酒：産経新聞「歴史の交差点」二〇一二年四月二五日付）

薩摩が活用した中国人藩士

幕末に起きた重大事件に、文久二（一八六二）年の島津久光の率兵上京と寺田屋事件がある。尊攘激派の藩士を粛清した事件の頃に、汾陽次郎右衛門という江戸留守居役が登場する。「汾陽」は「かわみなみ」と読む。珍しい姓ではないだろうか。

汾陽は久光の幕政改革など政変構想に消極的だったので、久光の評価は厳しかった。「汾陽にも実に困ったものだ。気質として変わり身が早い。とてもいまの重職は務まらな

い」(『玉里島津家史料』一)
松尾千歳《ちとし》氏の新著『秀吉を討て』(新潮新書)を読むと、汾陽家の祖先が郭国安《かくこくあん》だと分かった。明国人だったのである。永禄二(一五五九)年に京泊《きょうどまり》(現薩摩川内市)にたどり着き、島津義久に仕えている。唐代に汾陽《ふんよう》王に封じられた郭子儀《しぎ》の子孫なので、汾陽理心を名乗り、和名で「かわみなみ・りしん」と読ませたのだろう。六二〇石というから、かなりの高禄である。その子孫の汾陽光東も、土木技術に長《た》けた者たちを束ねたのではないかと、松尾氏は推定している。

島津家にはかなりの中国人家臣がいたようだ。彼らの中には、豊臣秀吉の進めた不義の朝鮮出兵をやめさせるため、島津家に食い込んだ者もいる。汾陽理心こと郭国安は、明軍と連絡をとり、犠牲の多い合戦を抑える努力をした。郭は、ひそかに秀吉の死を知らせ、日本軍が撤兵を急いでおり、食糧も欠乏している内情を知らせた。これは、島津義弘の意志なしでは進められない折衝《せっしょう》である。義弘が豊臣政権の撤兵命令が届く前から、自発的に講和と撤兵の交渉を始めたのは、島津家の国際感覚と外交センスの高さを物語る。義弘は、泗川《サチヨン》の戦いや露梁《ノリヤン》の海戦で明・朝鮮軍を破った武将として知られる。

もっと重要なのは、明将の茅国器《ぼうこくき》やその部下・史世用《しせいよう》らと連絡を取り合い、国器の弟・

茅国科《こくか》を人質にして、朝鮮半島から整然と撤退したことだ。義弘は徳川家康とともに、秀吉による不義の戦いの批判者であった。島津・家康・明の間に秀吉暗殺の密約があったのではないか、という説もある。

この推論を紹介するには紙幅が限られているが、日本軍の朝鮮撤退の理由ははっきりしている。情報通で外交力にたけた義弘の力量だというのは、当時の政治家と後世の歴史家に共通する見方である。家康が言うように、無事撤退こそ真の「勝利」であり、外国と日本に類例を見ない軍功にほかならない。

家康も国際感覚にすぐれていた。しかし貿易については島津と違う考えを持っていた。家康は金印と勘合による国家管理型の貿易を好んだが、島津は自由に東シナ海を往来できる自由貿易を望んだ。松尾氏は興味深いことに、これを「倭《わ》寇《こう》的状況」と呼んでいる。

もっとも、秀忠・家光の時代になると、交易を明との国家間交流から切り離し、民間レベルの通商に変えた。島津家は幕末の通商条約締結後、幕府の貿易独占に反対して薩摩はじめ諸藩の自由貿易を主張した。そのルーツを知る上でも『秀吉を討て』は有益な書物といえよう。

（薩摩の中国人藩士：産経新聞「歴史の交差点」二〇二一年八月二二日付）

江戸幕府がわかる三冊

江戸幕府を理解する上で歴史が展開される空間を新たな視点から問題にした二冊が注目される。

杉本史子『近世政治空間論——裁き・公・「日本」』（東京大学出版会）は、政治的に作り出された空間の江戸城や裁判の場として評定所をとりあげる一方、太平洋を政治的意味が付与された空間、幕末の新たな政治機構や非公式会議を近世日本の政治空間として考え直す。江戸時代の政治史を巨視的な観点から眺める見方を提示する。

面白いのは、江戸の城と都市という二つの空間にまたがる評定所の機能に武家方と町方ひいては農村の交錯する空間を見出したことだ。

江戸城についてはすでに深井雅海氏の名著『図解江戸城をよむ』（原書房）も出ているが、杉本氏はそれを中核空間、境界空間Ⅰ、境界空間Ⅱに分けて定義を試みた。

それぞれ、本丸の将軍権力を中核とする人工空間、北の丸と大手門前と大名小路などの内曲輪《うちぐるわ》、日本橋本町など町方を含む外曲輪《そとぐるわ》にあたる。

惣構《そうがま》えの城の中核空間と境界空間が有機的に組み合わされた結果、幕府の空間的基盤が形成されたというのだ。

福田千鶴『近世武家社会の奥向構造——江戸城・大名武家屋敷の女性と職制』（吉川弘文館）は、杉本氏が中核空間の中で触れなかった大奥や奥の奥向《おくむき》を、儀式や対客の場たる表向《おもてむき》と違う空間としてとらえ、奥向をさらに表方と奥方に分けて考える。将軍や大名の日常生活の場として執務もする奥向の表方と、妻や側妻や家族との生活を営む場所としての奥方に分けるのだ。

江戸城でいえば、この奥向は、かつて中奥とも呼ばれた奥と大奥の双方を指す。奥方は、大名家では裏、局《つぼね》、構、広敷と呼ばれた。福田氏は、江戸城では老中の御用部屋も奥に属する空間に位置したことを強調する。

もともと将軍が起居して日常事務を処理する場所だった奥は、居間という生活空間として理解する限り大奥と結びつく存在であり、整備された行政機構の頂点にある将軍の御座之間や老中の御用部屋の存在を意識するなら表向と不可分な面もあった。まさに奥向は私的生活と公的生活の両義性を内包する空間だったのである。

徳川初期に政治的意味を海に付与したのは、いわゆる鎖国である。この点では山本博文

『鎖国と海禁の時代』(校倉書房)が基本文献である。

いわゆる鎖国令は、三代将軍家光が寛永一〇(一六三三)年から一六年にかけて五度にわたって発布したものだ。

その柱は、日本人の海外渡航禁止、貿易統制、キリシタン禁令の三本柱であるが、山本氏は日本史家が海禁や武威などの言葉を厳密に吟味せずに使うことに慎重であり、歴史学や政策史の見地から「鎖国形成史」を描く重要性を説いた。

江戸時代史の理解には当時の政治や社会の内部から説明する点こそ重要だという指摘は、「グローバル・ヒストリー」に日本史を「包摂」できると信じる人びとも虚心に耳を傾けるべきだろう。もとより、いま月刊『文藝春秋』に「将軍の世紀」を連載している私としても同じことだ。


(江戸幕府がわかる三冊:「週刊文春」二〇一九年一月三・一〇日合併号)

おわりに　『将軍の世紀』で書きたかったこと

I　いまなぜ『将軍の世紀』を書いたのか

文筆家には、老年になっても物を書く人が多い。視力が衰え、時にペンや筆を握る力が弱くなっても、歴史や文学を書き続けた人は内外に珍しくなかった。古代ローマ共和国の大カトーは、紀元前三世紀から前二世紀にかけて活躍した政治家であり、弁舌にもすぐれた文筆家でもあった。彼は勤労と節約につとめ、頑健な身体にも恵まれており、大スキピオの政敵でもあった。二人が対立したカルタゴ政策をめぐって、大カトーは第三次ポエニ戦争の発端となった「カルタゴ滅ぼさざるべからず」の有名な演説でも知られている。

ところで、フランスの思想家モンテーニュは、大カトーをあまり好かなかったようだ。モンテーニュは、人が永久に口をつぐむことを学ぶべき時に、大カトーは話すことを学んだと皮肉たっぷりに書いている。大カトーが最晩年にギリシャ語を学び始めたことを気にいらなかったらしい（「なにごとにも季節がある」『エセー』5、宮下志朗訳）。

クセノクラテスという古代ギリシャの哲学者がいる。彼はずいぶん年老いてからも、熱心に学校の勉強をしたらしい。これを見たエウダミダスは、いまだに学習しているなんて、この人は、はたしていつになったら知恵がつくのだろうと皮肉を浴びせた。この批判者はおそらくスパルタのエウダミダス一世のことだろうが、モンテーニュが依拠したプルタルコスの『モラリア』3の「スパルタ人たちの名言集」の内容とはややニュアンスを異にする。ともかくモンテーニュは、大カトーが最晩年にギリシャ語学習を熱心に始めた努力をさしたる名誉だとは思えないと、手放しで評価しなかった。むしろ、大カトーが耄碌《もうろく》して子ども時代に戻ったと辛辣きわまりない批判を浴びせたものだ。

　モンテーニュが言いたいのは、「よいものであれ、なんであれ、ものごとには季節というものがある」という彼なりの真理なのだろう。しかし、何かをなしとげるタイミングは青年期や壮年期だけとは限らない。どのような職業に就いても、物事は予定通りには進まないものだ。客気あふれる若者は、遅々としてはかどらぬ壮年期の野心的な仕事の遅れを嘲《あざ》わらうかもしれない。しかし私は、半世紀ほど前に、人生の円熟した高みから、或る若者の仕事について、「功をあせりすぎる」と評した老学者を知っている。確かに、若者は準備をおこない、老人はそれを享受すべきだという賢人の知恵こそ真理に近いのかもしれない。それでも、人生がまもなく不慮の事態で中断しかねない季節ぎりぎりの限度いっぱいに何とか間に合う仕事があってもよいのではないか。私はこうした思いから、ごく最近

『将軍の世紀』（上下、文藝春秋、二〇二三年四月刊行）を出すことができた。二七〇年に及ぶ一五代徳川将軍とパクス・トクガワナ（徳川の平和）の時代を描きながら、現代につながる歴史への畏《おそ》れについて自分なりに考えてみたのである。そして、私がようやく書き上げた『将軍の世紀』も、これを他人が「よくやった」とことさらに褒めてくれることをいまさら期待したわけではない。それでも、著者の意をくんで、書物に何らかの意義を認めてくれる人もおり、出来栄えはともかく何事かにこだわって書物を出した著者の意のあるところを認めてくれた人もいた。こうした他人の厚意に私が素直に喜ぶのも、人間として自然な感情ではないだろうか。

Ⅱ　岩下哲典氏による『将軍の世紀』のまとめと新聞書評などの評価

『将軍の世紀』は、もともと月刊誌の『文藝春秋』本誌の二〇一八年一月号から二〇二〇年六月号までの連載と、『文藝春秋デジタル』二〇二〇年六月（第三一回）から一〇月（第三四回）までの連載を土台にしたものだ。ただし上巻も、第一一代将軍家斉の途中で中断した連載に加えて増補している。そして、第三九回から第六四回分に当たる部分を新たに書下ろしたのが下巻なのである。書物は、上巻全三八節、下巻全二六節から成っている。

この書物についての書評や紹介は、大ぶりな上下二巻のせいもあって、新聞雑誌に出るのがやや遅く、研究者のホームページなどで早く紹介されることになった。幾分かの批判的コメントも含めて、まことにありがたいことである。他方、著者の私よりもむしろ的確に本書の内容をまとめてくれた方もいる。たとえば、東洋大学教授で幕末明治維新史の専門家・岩下哲典氏の紹介である。それは、「地域から考える世界史プロジェクト」という日本全国の小・中・高校と大学の教員など四八〇人ほどが登録している研究グループのメーリング・リストに五月一日に載せられた。それをそのまま引用させていただく。

> 大部な本書を一言で紹介するのは難しいが、徳川幕府のすぐれた通史である。
> 上巻では、関ケ原の戦いで天下の覇権を握った徳川家康から秀忠・家光・家綱・綱吉・家宣・家継・吉宗・家重・家治・家斉までの初代将軍から11代家斉までを扱う。関ケ原体制を「天下取りの大局観」「家康の戦略」とし、それこそがパックス・トクガワーナの源泉であり、これが家斉時代を現出したとする。しかしながら、家斉時代が終わりの始まりで、下巻では、その後の12代家慶から家定・家茂そして慶喜の「大政奉還」までの政治過

程を丹念に叙述したものだ。

　山内氏は中東・中央アジアの近現代史、国際関係史の著名な研究者であるが、二〇一三年以降、本書を構想し、二〇一八年から二〇二〇年六月まで『文藝春秋』、二〇二〇年六月以降『文藝春秋デジタル』で連載され、その後も半分ほどを書き下ろされて本書となった。氏は、もともと江戸時代に関心があり、江戸時代に生きた人々は「現代日本人の発想法や行動様式を歴史的に理解するうえでも大きな手掛かりを与えてくれるのではないか」との思いから本書を執筆された。二〇二〇年に急逝された山本博文氏をはじめ、たいへん多くの日本中世・近世・近代史研究者の協力のもとに本書が出来上がったことを「あとがき」から知ることができる。

　最新の先行研究を踏まえ、原典史料や文献を明らかにして、それらの史料や文献を丹念に読み解き、幕府と将軍・老中や諸役所の制度をきちんと押さえて、各時期の政治の動きをとらえ、まさに新しい近世史像を提示した文献として特筆すべきものといえる。

　江戸時代に関心のあるすべての人の必読書で、教養としての歴史書はかくあるべきだと確信する。

専門家による温かい評価として身にあまる御指摘であった。さらに、本書を「ありそうでなかった徳川通史」であり、「専門書なみの学識を詰め込みながらきわめて読みやすい決定版徳川通史、いや全史」として評価してくれたのは、『日本経済新聞』（二〇二三年六月二四日付朝刊）に文章を寄せられた書評家（仏文学者）の鹿島茂氏である。これは、本書を「徳川幕府のすぐれた通史」と評価する岩下哲典氏の見方と共通している。鹿島氏は、私が「通史」を書いた理由を、フランスのサリカ法典のような厳密な相続規則をもたず、緩い直系規則だけで将軍を決めていた徳川政治体制が何故にこうも長く続いたのかの理由を知りたかったからではないか、と私の執筆動機を忖度された。この御指摘はありがたいが、率直に告白すると、私は学生時代に瞥見《べっけん》したにすぎない久保正幡《まさはた》氏のサリカ法典の訳や研究を十分に咀嚼《そしゃく》したとはいえない。しかし、フランス研究者らしい鹿島氏の御注意によって、次の機会にはむかし創文社から刊行されたサリカ法典の研究訳を改めて読み直す知的刺激を与えられたことに感謝したい。

さらに鹿島氏は、私の将軍職継承問題へのアクセスの道を四つのカテゴリーに分類しているが、これも私の論点とその軌跡を適切にまとめている。

1　家康―秀忠、秀忠―家光の時代のように、大御所が新将軍を指導する二元的君主制は、

「二重権力」による対立・分裂の危機も孕《はら》むが、世襲王朝の安定を可能にもする。鹿島氏は、家康と秀忠を共同王体制の成功例であり、秀吉と秀頼の関係を失敗例としているが、豊臣王朝が挫折したモメントとして秀吉—秀次の継承失敗をまず挙げてもよかったのではないだろうか。

2　新将軍は、秀忠の土井利勝、家光の稲葉正勝、綱吉の柳沢吉保のように側用人《そばようにん》政治を行いがちだが、こうした側用人政治の本質は何だったのかと鹿島氏は問いかけている。ここで鹿島氏が指摘したかったのは、側用人政治でなく、「側近政治」ではなかろうか。幕府の職制としての側用人に初めて任命されたのは、綱吉の時の牧野成貞であり、柳沢以外の土井や稲葉は側用人にはなっていない。現実に、鹿島氏は次のような私の言葉を引いている。「無制約の権力を動かす支配者は、政治の手足になる者に絶対的服従を要求する。ここに支配者の抜擢《ばってき》と登用により側近集団が生まれる根拠がある」。

3　直系相続は御三家を創設した家康の慧眼《けいがん》があっても断絶の危機を避けられない。傍系から新将軍を選ぶ継承問題が必ず党派的対立と連動して分裂の危機をもたらすという鹿島氏の指摘は正しい。ただ、その例として挙げた八代吉宗と一四代家茂については、やや説明が必要だろう。吉宗の相続に面と向かって反対した政治勢力は存在せず、尾張家の戦わずして負けた政局音痴と、尾張藩主と付家老の統制力と情報収集力の欠如がわずかに目立つだけである。家茂の場合は違う。南紀派の紀州家・門閥譜代勢力と一橋派の水戸家・外様国主連合の対立が厳然としてあった。紀州家といっても家斉・家慶・家定と濃い血でつながる家茂と、傍系中の傍系の水戸家とその出身の一橋慶喜との間には、血縁と政治争点（開国か尊攘《そんじょう》かなど）をめぐる政治対立が明白に存在した。こうした意味で言うなら、鹿島氏の指摘は明晰だと言わねばならない。

4　鎖国の揺らぎと人材の払底が顕著だった幕末には、秀忠以来ずっと王権を制限されていた天皇権力が水戸藩の尊王攘夷論でにわかに復活するという大きな問題が生じた。この鹿島氏の指摘は、水戸学が尊王と佐幕の双方を両立させるイデオロギーとして出発しながら、政治運動の自己回転のなかで幕府打倒の行動的少数派やテロリズムを正当化する変容を遂げたと言いたいのだろう。

鹿島氏によれば、『将軍の世紀』の下巻すべてを費やして第三と第四のカテゴリーを論じているのは、私が扱った家斉から家慶に至る時期を「『終わりの始まり』という点で現代と似たものを感じているからなのかもしれない」と推測している。著者の意図を私が語る以上に的確に短い書評枠で触れていただいた鹿島氏には感謝する以外にない。

解釈が分かれた『将軍の世紀』の現代的意味

こうした現代政治論や文明論につながる回路を本書から読み解くのは、各新聞社の著者インタビュー記事に多少なりとも共通している。文化面などに大きなスペースを割いて小著の意図を紹介してくれたのは、『産経新聞』（六月七日付・磨井慎吾記者）、『読売新聞』（六月二二日付朝刊・前田啓介記者）、『中日新聞』（七月一日付朝刊・林啓太記者）である。『産経』は、本書を「リーダーのあり方など、史論的要素も豊富に盛り込んだ江戸通史」としている。一方、『読売』は、明治以降の近代化でなく江戸期からの「近世化」の問題を考えることで、「明治以降の繁栄や平和の基礎」をつくった江戸時代を統一的国家体制の整備から描いた歴史書と性格づけた。さらに、『中日』は、本書を教科書のような事実の羅列ではなく、事象・事件・人物から時代を浮かび上がらせる歴史叙述だとまとめている。これらの記者たちのまとめは、私の問題意識を的確に理解してくれたというべきである。この三人は、小著の人物評価の底にあるのが為政者たる責任感の有無であり、政治家の一番の評価基準としては有能であるかどうか、つまり民に平和や幸福、繁栄と豊かさを保証できるか否かを私が重視していると、ほとんど共通して指摘してくれた。

ただ、私の書物の現代的な意味については、新聞社と記者の個性によって、力点が違うのが面白く、私としても勉強になった。私が家斉やその対蹠《たいしょ》にあると見なされがちな水戸斉昭《なりあき》の二人について、やや厳しめの評価を下したと理解するのは『産経』の磨井記者である。五〇年も統治した家斉については、「自らの贅沢を続けるため、北方対策などの必要な支出を惜しみ、幕府の屋台骨を自ら毀損《きそん》した。幕府瓦解のターニングポイントは、家斉の代ですね」と、磨井記者は私の言をまとめている。

他方、『読売』の前田記者は、家斉がロシア船来航に十分に対応しなかった理由を、パクス・トクガワナの平和と豊かさが当たり前と思い込み、「ヨーロッパ列強が迫っていることへの危機感がまるで欠如していた」という私の言説から説明する。そのうえでウクライナ戦争によって「日本人がこれまで持っていた安全保障観も変化しつつある」と、私の言説をまとめる。そこで、現在の日本を形作った江戸時代の最初にさかのぼって考えるべきだと私が考えていると紹介するわけだ。幕府滅亡の理由について私が示した「興味深い説」として、財政を傾けた将軍家斉の「暗愚の政治」に関心を抱くのは『中日』の林記者である。私が重視した家斉による乱脈の正当化と賄賂の横行について、私は公言していないが、「こうした政治の私物化は、現代の政治で指摘される問題とも重なる」という指摘は、江戸時代の将軍に「政治の私物化」という観念があてはまるか否かは別として、一応は私の問題意識の範囲内に収まるだろう。しかし、岸田文雄首相の秘書官だった長男による公邸での親族忘年会や公的スペースでの写真撮影に具体的に触れたのは、あくまでも林記者のこだわりであろう。ただし、そのあとに触れられた「議会制民主主義は機能しているのか。江戸幕府の衰亡を、誰が笑えるのか」という表現は、私が書物をまとめた動機の枠内に収まる。少なくとも、林記者の「歴史の問い掛けに耳を傾けるよう促した」というまとめは、私が『将軍の世紀』を書く動機と通底しているともいえよう。

　また、磨井記者は、明治以降の近代化を準備した徳川時代と現代が共通する面に注目した私の論点のなかでも、統治機構とくに天皇と将軍との関係についての言説に注目している。「政治的な権能を有しない江戸時代の天皇と、戦後の象徴天皇制における天皇は、近いものがあるのではないか」と私の発言をまとめている。江戸時代は現代の問題を考える際にも「非常に興味深い」とは、私の問題意識そのものといってよいだろう。

『将軍の世紀』の刊行直後に、小著の性格と個性を筆者の意図に沿って正しく理解しただけでなく、時に私の意図を超えて学問的に読者たちを啓発する解釈をしてくれた人がいる。国文学者の野口武彦氏である。氏は、これまでも幕末をはじめ江戸時代史の斬新的解釈によって、私のような歴史学者にも大きな刺激を与えてくれた学者である。野口氏は、その公式サイト（nghiko.com）の「桃叟だより」において、『将軍の世紀』の執筆意図を次のように見抜いてくれた。「桃叟（野口氏）の見る所では、本書は〈将軍〉〈天皇〉など日本史の境界・範囲の問題を越え出た広大な領域に焦点を結ぼうとしている。執筆の発端には、たとえばギボンの『ローマ帝國衰亡史』の塁を摩そうとする壮図が秘められているに違いない。いうなれば本書は首尾一徹した『徳川王朝興亡史』を構想しているのである」。『春秋左氏伝』（宣公十二年）に由来する「塁を摩《ま》する」という言葉は、技量や地位などが接近し、ほぼ同じ程度に達することを意味する。小著をギボンの仕事になぞらえ『徳川王朝興亡史』を構想したとの評価は、まことに過分というほかない。私としては、形としていまの姿になった仕事の形式と内容が、ともに不十分な点が多いことをよく自覚しているつもりだ。にもかかわらず、野口氏が私の志の一端をすこぶる前向きにとらえ、こうした表現をされたことに今は素直にお礼を申し上げておきたい。

そのうえ、野口氏は、私が小著で試みた歴史分析と視角について非常に重要な指摘をしている。それは、歴史の深奥にある澱《おり》やよどみのように明澄ならざる何かに無意識にこだわる私の癖《くせ》への言及である。

「氏（山内）にはつとに、浩瀚《こうかん》な『中東国際関係史研究』の著がある。だから氏の着眼が世界史的だとか国際的視野を持つとかいうのではない。歴史の深奥には、いかに尨大《ぼうだい》な〈史実〉の積み重ね、いかに緻密な相互照合、厳正な文献批判がなされようとも復元しきれない不可知の部分がある。いわば〈歴史それ自体〉の層理である。歴史の視界の涯《はて》は、何か根源的な〈謎〉を蔵したとてつもない暗黒に面しているわけで、氏はしばしばそこに佇《たたず》む戦慄を〈歴史への畏《おそ》れ〉と表現している」

確かに私は、『将軍の世紀』のなかで「歴史への畏れ」という表現を各所で用いている。たとえば、歴史で登場人物たちが意図せざる形で封建社会ではありえぬ〝主殺し〟つまり封建領主の権威の否定と封建領主体制の打倒を意図し、それを部分的に達成したことはありうる。しかし、『将軍の世紀』を書き続けるプロセスで、野口氏の表現を借りるなら、根源的な謎を蔵した「とてつもない暗黒」に面しながら、それを十分に解析する史料や史実を持たないことに驚いただけではない。さらに、野口氏のいう〈そこに佇む戦慄〉を一度ならず感じたことも率直に告白しなくてはならない。そこには〈畏れ〉や〈戦慄〉を少しも感じない様子の専門家の存在への驚きも含まれる。野口氏は、私に代わって「歴史への畏れ」の重要性について読者に注意を喚起してくれたのである。

Ⅳ　隠滅された史料はどこに

野口氏の言う〈戦慄〉とは、史料が意図的に抹消されたか隠滅された可能性とも関連する。あるいは関係者が口裏を合わせて真実を隠秘した可能性もある。一つの例を挙げるなら、さながら尊攘激派が引き起こした外国人テロリズムに等しい生麦事件が、開国論者の主君（正確には国父）・島津久光の真意から離れて起きたのは何故か、という点について、これまで学界では十分に検討されてこなかった気がする。英国人たち四人が本当に久光の行列に無礼な行為を働いたのかどうかさえ正確には分かっていない。奈良原喜左衛門・繁兄弟や海江田武次のように、寺田屋事件で久光に忠誠を誓い有馬新七らと対決したと見られる藩士たちがかえって積極的に異人切りに出たのは何故なのか。真相を告げる薩摩藩史料は驚くほど少なく、同藩とその後の島津家の歴史家は、オーラル・ヒストリーのような手法で奈良原ら三人に十分な真相を尋ねた様子もまず見当たらない。

しかし、ほかならぬ島津久光が現場に居合わせた信頼できる証言者として歴史家の市来《いちき》四郎に語った内容が残っている。私は『将軍の世紀』では、この証言に依拠して、三人の集団的心性や個人的心理について、寺田屋事件とのかかわりで一定の解釈を下すことができた。この時、私はまさに野口氏が言及された「歴史への畏れ」のカテゴリーに踏み込んだのかもしれない。しかし、私など後世の歴史家とは比べものにならぬほど、あえて「歴史への畏れ」に踏み込んで、〝主殺し〟から未知の政治・歴史領域へ跳躍したのは、件《くだん》の三人だったのかもしれない。しかも、薩摩藩には西郷隆盛という主君・島津久光に正面から異を唱える先輩がすでにいた。西郷の存在は、あえて生麦事件を起こしたか、少なくとも異人切りを抑制しなかった彼らの気持ちをずいぶんと楽にしたように思える。もとより、彼らが寺田屋事件で有馬ら誠忠組以来の同志を上意討ちで切り捨てにして藩内からも白眼視され孤立に追い込まれた己の行為を、攘夷テロリズムの実行と相殺することによって、久光への忠誠と、久光も表面的には反対できない攘夷論を両立することを図ったというのが私の解釈である。もとより、これらを最終的に史料から十分な証明をすることはむずかしい。それでも、久光が市来ほかの家臣に彼の見聞を再現し、彼による事件解釈を示唆したことで、私などの生麦事件の真相究明がある程度まで可能になったのでは、と考えている。

野口氏は、こうした私のささやかな努力や接近法を肯定してくれたように思える。氏は、私の試みた方法について、独自の表現で次のように評価を寄せられている。

「こうした〈歴史への畏れ〉を味到するにはどうしたらよいか。一国、一地域、一時代の個別的な歴史事象の枠にとらわれず、いきなり歴史原像へ参入する方途もある。裸で歴史そのものに肉薄するのである」

これは簡潔ながらまことに見事な表現である。私がそうした方法的な挑戦に成功したかどうかは、自分ではまだ分からない。しかし、未公刊のオスマン・トルコ語手稿史料を使って「歴史原像」に参入するためにいろいろと努力を試みた旧著『納得しなかった男』（岩波書店）の〝欠点〟に触れた匿名論者のやや見当はずれの指摘に触れながら、野口氏は「だが氏（山内）はそんな段階はもう卒業している」としてくれたことは、今回の『将軍の世紀』の叙述と史料批判への評価とつながっているのではないかと、勝手ながら自分なりの感想を抱いた次第である。

小器ではなかった島津久光

しかし、野口氏の高評にもかかわらず、『将軍の世紀』では、久光と市来の証言を被害者の説明と突き合せる十分な余裕がなかった。他にも、厳密な「相互照合」が必要な箇所は多い。ここでは一例として、生麦事件について言い尽くせなかった面を別の観点から検討することで、氏の感想に少しでも応えてみたいのである。スコットランド人ジョン・レディ・ブラックの紹介する被害者ボロデール夫人（上海の英国商人の妻）の証言と、居留民のなかでも、「格別に誠実で、信用も厚く、良心的な性格だった」マーシャル（横浜の生糸商人）の指摘を検討するなら、久光や市来の記述と合致する点が多いことに気づく。ブラックは、横浜で出されていた週刊英語紙『ジャパン・ヘラルド』の編集者であるが、大名行列の一部の者が脇にどくように合図をしたので、そのとおりにしたというボロデール夫人の証言をまず紹介する。四人は「引き返せ」という薩摩人からの合図があったので、神奈川方面に馬首をめぐらせたところ、「物もいわず、またはそれ以上の警告もなく、数人の家来が刀を抜いて、一行を猛撃した」というのだ（ブラック著、ねず・まさし、小池晴子訳『ヤング・ジャパン』1、一三章。以下同じ）。

夫人の証言は、道の両側に一列縦隊に並ぶ一〇〇人ほどの武士が先行する整然とした行列に出会った様子を述べるウッドソープ・クラーク（米国人経営商会勤務）の表現とほぼ合致している。クラークは、行列中心部から「一人の背の高い男」が飛び出し、同時に両腕を挙げて、何か身振りをするのが見えたという。これは奈良原喜左衛門だろうと日本語訳者ねず・まさし氏らは推定している。この描写は、久光が描く事件当日の喜左衛門の挙動とほぼ一致している。そこで、四人ともに神奈川へ戻ろうと向きを変えようとした時に、この喜左衛門とおぼしき武士がリチャードソンに斬りつけたというのである。これを見て馬を疾駆させ神奈川へ帰ろうとしたクラークに向かって何本もの刀が引き抜かれ、向かって来るのを見たとクラークは語る。

　他方、マーシャルの証言はこうだ。大行列と遭遇したとき、道の左側を進んでいったが、とくに妨害も受けなかった。ところが行列の一二人目くらいの所に来ると、一人の男がボロデール夫人とリチャードソンの前に進み出て道をふさいだ。そこで、クラークは脇道へ回ることを提案し、マーシャルは「後生だから、騒ぎを起こさないようにしよう」と呼びかけた。その時に、「行列の中央にいた男が肩の上着をはねのけ、腰のあたりまではだかになって抜刀し、両手で振り上げると、リチャードソン氏に飛びかかった」。こうしてリチャードソンは左腕下の脇腹を切りつけられ、自分も同じ場所を切られたとマーシャルは証言する。こうしてマーシャルは、自分たちが行列に行き逢うまで、少なくとも四分の一マイル（約〇・四キロ）くらいの間、並足でしか進まず、行列を怒らせるような無作法はしなかったと弁解している。

「私達は口もきかなければ、身振りもせず、行列を怒らせるようなことは、一切しなかった。事実、行列を避けるために、道からそれようとした」

　彼らは、自分たちに不法行為が少しもなかったと公言している。勿論これをすべて信用することはできない。しかし同時に、彼らが全体として島津久光とその行列を侮辱する意図を持っていたとも言い切れない。他方、リチャードソンは、英国のアジア植民地などで現地人にいわれのない差別と暴力を振るうタイプの男だったことは、ほかならぬ別の英国人にも指摘されている。在清国公使のフレデリック・ブルースがラッセル外相に宛てた半公信によれば、リチャードソンは「当時の東アジアにおけるいわば柄の悪い外国人の一類型」なのであった。

「スウィフトの時代ならばモウホークであったような連中の一人である。わが国のミドル・クラスの中にきわめてしばしばあるタイプで、騎士道的な本能によって些《いささ》かも抑制されることのない、プロ・ボクサーにみられるような蛮勇の持主である」（萩原延壽『遠い崖』1、「攘夷の颪」)。

モウホークとは、一七世紀に夜のロンドンの街を荒らした貴族のごろつきのことだ。リチャードソンが行列の中に馬をわざと乗りいれたのか、不慮の遭遇に動転して馬首をめぐらしそこねて行列を乱す結果となったのか、細部はこれからも学者による実証が続くであろう。しかし、肝心の久光は些々《ささ》たる不法行為をなじって外国人の斬り捨てを命じる小器でなかったことだけは確かなのだ。たとえリチャードソンらが行列を乱したとしても、それだけで久光は、国家と藩の運命が危《き》殆《たい》に瀕するような異人切りを命じたであろうか。生麦事件は、『将軍の世紀』でまとめたように、奈良原喜左衛門や海江田武次らがあらかじめ状況をいくつか想定し、外国人を確信的に斬殺する決意を抱いていなければ到底起きようもない事変だったようにしか見えない。

V　『将軍の世紀』の構成と人間模様の解像

野口氏は『将軍の世紀』の構成と編年の特徴についても、著者に代わって適切にまとめてくれた。氏は、本書の内容と上下各巻の特徴を次のようにとらえた。

『将軍の世紀』の構成は、初代家康から15代慶喜まで各代将軍の編年体の様式を取るが、各章の比重はかなり不均等であり、必ずしも各将軍の治世の長短、行事《こうじ》の多寡を反映しない。むしろそれぞれの治世下に生じたもろもろの摩擦点・問題点の総量に比例する。いきおい、時代の経過につれて増加する社会的エントロピー、〈興亡史〉を〈亡〉の視点から眺める構図がしつらえられる。『将軍の世紀』も下巻（第八「家慶」以下）になると、分量が俄《が》然《ぜん》多くなり、叙述がひとしお生彩を放つゆえんである」

野口氏が指摘するように、幕末の為政者たちは、まさか徳川幕府が倒壊するとは夢にも思わなかった。ところが、「実際には、未来永劫続くと信じられていた徳川政権が実にあっけなく終焉《しゅうえん》を迎えてしまった」のだ。野口氏は、これを「不思議の負け」が起きたと呼んでいる。いくら楽天的な江戸っ子にしても、あまりにも能天気に過ぎるかもしれない。ひどいのは、品川まで官軍が迫って来ているのに、彼らは幕府の瓦解を信じなかったことだ。野口氏によると、今が「幕末」だとは誰も思ってもいなかったのである。

ここで野口氏が語るのは、まことに筆者が述べたかったことでもあり、本書の骨格に関連することだ。しかし、この叙述は大政奉還から王政復古を経て戊辰戦争に向かう内戦期に関わることだから、今回の上下二冊の『将軍の世紀』からは除かれている。この点に関連して、野口氏は次のように権力論と戦争論との関係に言及している。

「歴史の現場で人々が直面し、せめぎあうのは、その都度当事者の死活にかかわる特定の・具体的な・解決を要する問題葛藤だから、対立はいやでも政治的な色彩を帯びる。常に緊張を孕み、いつでも円満な話合いで片付くとは限らない。最後は軍事的な手段をもって決着を付ける外はない。内戦である。やがて幕末の維新変動期には、まさにその通りのことが起きるであろう」


　野口氏も語るように、どの革命もいきなり内戦や内乱でクライマックスが生じるわけではない。そこに到達するには、政治につきものの権力闘争や党派闘争が繰り広げられる。幕末はこの種の激しい争いに事欠かない。パリのバスチーユ牢獄襲撃やサンクトペテルブルクの冬宮攻撃といった世界史の派手な動きにひけをとらない事件も、幕末の日本各地に起きたものだ。水戸藩の凄惨を極めた藩内闘争や粛清劇は、ロシア革命や中国革命のテロや暴力と比べても或る局面では決してひけをとらない。天狗党の筑波《つくば》山《さん》蜂起や中山道《なかせんどう》西上は、すでに文学で何度も描かれた劇的要素に事欠かない。こうした事象を意識しながら、野口氏は次のように語っている。

「政治の究極には権力闘争があり、権力闘争の核心は人事抗争である。この領域ほど、人間行動に非合理な判断が雑《ま》じり込むものはない。心情とか情念とか、俗に〈理窟じゃ割り切れない〉といわれるような傍からは理解不能な心理がひとを動かすことになる。一つの人事抗争はその周辺に複雑な人間関係の連鎖を作り出し、それがまた縦横に輻湊《ふくそう》して濃密な人間模様を織りなす。たとえば誰を将軍にするかの人事抗争は、徳川国家の大綱を決する権力闘争の中でも最高位にランクされるはずだが、幕末政争で実際に目立つのは、わが子慶喜を将軍にしたい一心に凝り固まった水戸斉昭の盲愛、歴史の一頁を飾る親バカぶりばか《ママ》、という具合である」

　野口氏の指摘は、私が『将軍の世紀』（とくに下巻）で書きたかった主旨をほぼ正しく衝いている。氏の表現を再び引用するなら、「山内氏はこうした幕末期固有の人事問題を読みほぐし、人間関係を解読する。いやむしろ人間模様を解像する。時には信じられないほど意外な組み合わせ——ex. 突然の薩長同盟——の出現も、〈なぜそうなるか〉の根を政治情勢ばかりでなく人間関係の葛藤の中にも探って解明する」。解像とはやや難解な言葉であるが、歴史のレンズを通して像を細部まで映し出すという意味であろう。私がそうした微妙な人間模様の〈解像〉に成功したと、読者の野口氏が評価してくれるのは、歴史叙述にこだわる者として望外の幸せというほかない。

VI　家近良樹氏の見た「『好運』という名の偶然」

こうした野口氏の見方とよく似た評価を私信で寄せられたのは、幕末維新史を専攻される家近良樹氏である（五月八日付消印書簡）。家近氏と野口氏は、外国史研究者ながら日本近世史に取り組む私の試みと拙い努力を前向きに評価してくれた。家近氏の表現によれば、西欧・中東・中国（古代）についての知識が「さり気なく披瀝《ひれき》されていて、眩しかった」とあり、下巻（五五五ページ）にあるロシアの思想家チャアダーエフの弁に「昨今のウクライナ問題との関わりで秀逸なものを感じました」との指摘を頂戴した。氏によるこの読みはまことに正しい。事実、私はこのチャアダーエフの『哲学書簡』の一節を手掛かりに、世界に大きな教訓を与えるために存在するロシアのユーラシア国家としての性格を分析し、ウクライナ侵略への衝動を指摘したからである（本書一三〇ページ参照）。

家近良樹氏によれば、幕末史を仕事の柱とするようになったのは、幕末の登場人物が魅力的だからという理由にあると述懐される。氏は私もそうした嗜好《しこう》をもつのではないかと正しく見抜いておられる。家近氏と私の評価が一致したのは、吉田稔麿《としまろ》である。一致しなかったのは水戸斉昭である。氏は、私の斉昭評を「それにしても辛口」だとして、御自分も瀬谷義彦著『水戸の斉昭』を読む一年ほど前まではそうだったが、瀬谷氏の書物を読んでからは「一人の人間としては、無邪気なアイデアマンで愛すべき点も結構あったことを知りました」と告白される。私は瀬谷氏の本をまだ読んでいないので家近氏の解釈に何とも意見を述べられない。しかし、氏がこう述べられる直前に、「確かに斉昭のその後の歴史に及ぼした負の側面には酷《ひど》いものがあります」と斉昭の公人・政治家・尊攘派リーダーとしての資質には疑問を呈している。私についていえば、人物を歴史のコンテキストのなかに位置づけることはあるが、それは大きな歴史のコンテキストでその職務や役割に応じて果たした意味を中心に語りたいからだ。副次的あるいは付随的に人格の「無邪気」「愛すべき点」に触れることもある。しかし、私の場合は決して逆ではありえない。家近氏と私の見解がほぼ一致したのは、大久保利通であった。彼に訪れた「『好運』という名の偶然」に関する評価の仕方が同じなのである。そして、大久保の評価については、「理詰めだけでは捉えられない歴史学の特性」が問われるという見方でも二人は共通する点が多い。この点での一致は嬉しかった。

Ⅶ　「欲のなさ過ぎる話」
——『アラビアン・ナイト』と『甲子夜話』は史料ではないのか

いま一度、野口武彦氏に戻ると、私が嬉しかったのは、野口氏が私の史料読解についても、次のように評価してくださったことだ。

「そうした作業を進めるに当たって、氏はこれまでただの随筆として、必ずしも〈史料〉扱いされて来なかった民間筆録・日記・聞書等の文献をもレパートリーに加え、史料の幅を広げている。おそらく特別な嗅覚が備わっていて、もたらされた歴史情報の真贋《しんがん》を嗅ぎ分けるのだ」

これは私に限らず歴史学者であれば、まことに嬉しく有難い評価ではないだろうか。イスラム史であれ国際関係史であれ、私は政治史研究者として、まず刊本史料の網羅的利用を心がけてきた。日本近世史の叙述に際しても、政治史レベルの刊本史料に関する限りは、この姿勢を変えなかった。同時に江戸随筆と呼ばれるジャンルに含まれる作品のなかには、史料として使えるものが多いことに気がついた。ことに、私の日常の愛読書だった『甲子《かっし》夜話《やわ》』や『耳嚢《みみぶくろ》』はもとより、松平定信や太田蜀山人《しょくさんじん》らの随筆には随分と教えられる点が多かったのである。野口氏が指摘しているのは、三田村鳶魚《えんぎょ》が編集した江戸随筆に関する『鼠《そ》璞《はく》十種《じつしゅ》』や『未刊随筆百種』などを私がよく利用しているということであろうか。これらの利用は、歴史学に不可欠なQuellenkritik（史料批判）を私なりに済ませた上でのことだった。それにしても、野口氏が私には「歴史情報の真贋を嗅ぎ分ける」「特別な嗅覚」が備わっていると言及するのは、史料にこだわる歴史家としてありがたい言及だった。少なくとも史料を各種の権威や権力で認知されないと使うことにためらうか、地方文書《じかたもんじょ》や商店の大福帳などでなければ一次史料として安心できないというのは、何とも〝欲のなさ過ぎる話〟ではなかろうか。おそらく野口氏はこう言いたかったのではないだろうか。ここで私が使った〝欲のなさ過ぎる話〟という表現は、記憶に頼るなら、むかし、『アラビアン・ナイト』を研究史料のように使った人文地理学・文明論の大家、飯塚浩二氏に寄せられた批判に、飯塚氏が「欲のなさ過ぎる話である」と感想を述べた言葉にほかならない。日本のイスラム史研究を開拓したS氏が、飯塚先生のように責任ある立場の方が「あんな通俗な物語」を〝史料〟として使ってもらっては困る、といった趣旨の発言をしたのである。もちろん、私はこのやりとりを書物の上でしか知らないが、それも今となっては記憶の彼方に薄くなる一方である（『東洋への視角と西洋への視角』）。

歴史家が研究対象とする時代の文学や随筆は、しばしば社会の風俗や人気《じんき》を映し出す鏡でもある。正統的な政治史研究では扱いに慎重になるか、過小評価したくなる文学・随筆であっても、社会史の問題意識から読み込めば立派な〝史料〟として活きかえることもある。私がいま「欲のなさ過ぎる話」と述べたのは、無限にあるわけでない歴史探求に活用する史料をいろいろな視角と関心から読み返すのでなく、アカデミックなジャンル分けによって文学研究と歴史学研究との相互浸透を遮断してあやしまない傾向もあるからだ。「欲のなさ過ぎる話」という私の記憶の深い層に沈殿していた表現を蘇らせてくれたのは、今回の野口氏による拙著への講評にほかならない。

Ⅷ　整輯排比・参互捜討から同時繙読・相互参照へ

「複数の史料の同時繙読《はんどく》・相互参照はたんに文献批判の精度を高めるだけでなく、行間に非・明示的な〈史実〉を浮かび出させる。〈歴史への畏れ〉が望見する極限には人智では永久に到達不能な〈歴史それ自体〉が鎮座し、その周囲にはいわば同心円状にいろいろな光度の星雲が連なっているが、それらの中でさしずめ暗黒星雲にあたるものは、歴史の暗がりにひそむいくつもの〈謎〉だろう。たとえば大政奉還の実現に力のあった薩摩藩の小《こ》松帯刀《まつたてわき》が役目を終えたあと、突然幕末史から消え失せるのは何故か、等々」

これは私のいう「歴史への畏れ」と「謎」との関係に触れた文章である。野口氏がいう「同時繙読・相互参照」とは、一瞥《いちべつ》すると、あるいは中国史学史の言葉でいう整輯排比《せいしゅうはいひ》や参互《さんご》捜討《そうとう》を思わせる。それぞれ史料となる材料を纂輯《さんしゅう》すること、材料を比較探求することを意味した。それだけでは「史学」たりえず、清代の歴史家・章学誠がいうように「史纂」にすぎず、「史考」に留まるにすぎないという評価もある（内藤湖南『支那史学史』）。良い歴史著作を作るには、野口氏のいう「民間筆録・日記・聞書等の文献」は、歴史学者の職業的感覚からいえば、章学誠のいう「材料を並べたつまらない著述」に共通するものがあり、それらから必要な事実を取り出す利点もあるということだろう。材料を集め選択するだけでは「史学」とはならないというのは確かに章学誠のいう通りである。それらを如何《いか》に取り扱うかということが章学誠のいう史学になるというのは、野口氏がいう同時繙読・相互参照の手続きを尊重することにつながる（稲葉一郎『中国史学史の研究』第六部）。

歴史学では、あくまでも史料にないことを語ってはいけない。私が受けた教育もそうであり、自分が教師になると学生たちにも似たようなことを教えてきた。これはとくに政治史研究の領域では厳格に守られてきたルールである。しかし、これでは「人智では永久に到達不能な〈歴史それ自体〉」をまったく明らかにできないどころか、そうした問題に接近する試論さえ阻むことになりかねない。二〇世紀末の社会史ブームがいっとき人びとの興味を引き寄せたのは、野口氏の語る〈歴史それ自体〉の周囲に、いわば同心円状に連なる〈いろいろな光度の星雲〉の実相に近づけないもどかしさを解決してくれると人びとが信じたからだろう。

Ⅸ　「独断」から考える桜田門外の変と生麦事件

ここで私は、章学誠における「独断」という考え方を思い出す。独断とは、史料を無視して空言空論の独断で歴史を解釈することを意味しない。むしろ反対に、もちあわせた材料の処理を自分の頭脳だけで考え抜くことを独断と呼んだのである。「独断の学」が尊いというのは、独創性やオリジナリティがあるという誉め言葉なのである（山内昌之『歴史とは何か』）。

史学を単に事実を記録する学問とせずに、その根本を原理原則から考えようとした章学誠の考えは決して間違っていない。しかし、彼の考え方はしばしば哲学的であり、「六経はみな史なり」という断定にしても、個別の実証研究で歴史の謎や暗がりを明るみに出そうとする現代歴史学との間にかなり隔たりがあるように思える。章学誠の考えはどこか哲学者が歴史家を装った感が否めないのである。

　自分を政治史研究者と考えてきた私でさえ、謎解きの要素が強い研究では社会史研究の手法や問題意識の一部を共有することもあった。現実に、主人公の伝記的史料がまったく存在しなかった領域に取り組んだ『スルタンガリエフの夢』（東京大学出版会・岩波現代文庫）について、日本中世史研究のパイオニアと目された勝俣鎮夫氏は、「あれは社会史研究だよ」と評言してくれたことを思い出す。

　ここで野口氏は、小著だけでなく歴史学研究の急所に関わる重要な問いを発している。それは、「歴史の暗がりにひそむいくつもの〈謎〉」とは何かということだ。氏は具体例として、小松帯刀が大政奉還後に何故に幕末史から姿を消したのかといった問題を提示している。私であれば、桜田門外の変に際して、外桜田門の守衛者は誰であったのかという疑問である。自分の警衛領域の一部か、すぐ前で大老が襲われているのに、外桜田門の守衛者は少しも姿を現さない。他の日比谷門や馬場先門の警衛大名の名は無論のことわかっており、大名家がその責任を問われ処罰まで下ったことが判明しているのに、外桜田門の守衛が誰であったのかさえ分からない。関係する史料にも一切名前が出てこない。警衛大名は五万石以下、三万石以上の譜代大名と定められているのに、関係する史料をいろいろと探ってもどの大名の担任だったのかさえ分からない。おかしいといえば、大老の使用門として外桜田門の警衛者は、日比谷門どころでない重責を担っていたはずだ。幕初以来、本丸大手門に準じる最重要門であり、警衛大名は不祥事の責任を問われても仕方がないはずだ。しかし、誰それが譴責《けんせき》を受けた気配もない。江戸城の郭門研究の専門家たちの研究でさえ、どうもこの時の外桜田門警固者について触れていないようだ。何故なのだろうか。謎は深まる一方である。博雅の士にはぜひ御示教を願いたいのである。

　この謎は、生麦事件の真相を伝えるか、傍証を可能にする薩摩藩史料が隠蔽されるか抹殺されたように、警衛大名の家柄や公儀役職との関係などの深い事情があって、証拠史料が人為的に消されたのであろうか。まさに、「歴史の暗がりにひそむいくつもの〈謎〉」の典型例にほかならない。こうした実証作業のゆきづまるところ、或る意味で限られた材料を自分の頭脳だけで考え抜く「独断の学」が哲学的に必要になるのかもしれない。

X　なぜ鳥羽伏見の戦いまで書かなかったのか

こうして、研ぎ澄まされた鋭利な分析力によって小著を解剖してきた野口武彦氏は、この書物を全体として評価する一方、大きな疑問を一つ挙げて批評の文を結んでいる。
「『将軍の世紀』は以上のように〈歴史への畏れ〉に貫かれた野心作であり、桃叟はもちろん賞賛するが、一つだけ不可解な点がある。本書は関ヶ原に始まるが終わりは鳥羽伏見ではない。つまり〈大政奉還〉で筆が投じられ、〈王政復古〉まで叙述するには至っていないのである。なぜなのだろう。その点だけが疑問を残し、また惜しまれてならない」

この野口氏の疑問は読者としてもっともである。また、幕末維新史の専門家・家近良樹氏は、小著を下巻から読み始められ、「大層面白かったです」としながら、「最後の最後が少しあっけなかった」という感想をお持ちになられたようだ。その一方「先生（山内）の御気持ちが徐々に高まっていかれていることがこちら側に伝わりました」というありがたい感想を頂戴した（五月八日付消印書簡）。従って、大政奉還で終わったことに疑問やものたりなさを感じた人が、野口氏や家近氏のように研究者の間に多いのかもしれない。著者としてはやむをえない事情があり、二つの側面からお答えしておきたい。

第一は、『中東国際関係史研究』の「あとがき」でも触れ、本文の最初でも言及したモンテーニュの言葉のように、物事にはなにごとも季節というものがあるということだ。確かに鳥羽伏見の戦いで本書を完結する構想を貫き、鳥羽伏見までを描くとすれば、またしても本書の刊行は遅れたことだろう。私は、人生の最晩年にギリシャ語を習い始めた大カトーとは違うのである。まだしも、『中東国際関係史研究』の時には、モンテーニュのいう欲望がたえず若返る最後の時期につながっていたかもしれない。しかし、『将軍の世紀』にもなると勉学や欲望でもはっきりと老いを感じさせる時期に入った。この実感のもとで日々を過ごしているなかでも、手段や方法としての勉強や研究を続けることは可能である。しかし、それをまとめあげて叙述する歴史学の営みは、他の文系学問と比べてもさほど簡単ではない。しかも、まもなく確実に訪れる人生の突然の中断の後に、未完のエチュードと言われるのは、歴史学者としてあまり愉快ではないのではないか。

第二は、私なりの時期区分論に関係することだ。鳥羽伏見の戦いは終わりでなく、始まりでもあるのだ。それは、『将軍の世紀』と銘打った書物の終わりとして書くこともできよう。野口氏や家近氏はそうした構成をお考えのようである。これはまことにオーソドックスな見方であり、誰からも支持を受けられるかもしれない。他方、私のように、あまり芸術的ではないにせよ、一五代将軍慶喜が大政奉還で将軍でなくなる単純明快な事実こそ一つの時代の終わりとして考えるのも、もう一つの見方として許されるのではないだろうか。たとえ、その散文的な結末が平凡な、あまりにも平凡なピリオドの打ち方だったにしても、私のように外から日本近世史を眺めてきた者なら、鳥羽伏見から五稜郭の戦いまでを一つのまとまった時期区分として、「内乱の時代」「内戦の時代」として考えることもあながち間違いともいえないのではないか。大政奉還で将軍職が消滅したモメントを明治維新から切り離すことによって、『将軍の世紀』と銘打った書物を黙示的に終わらせるのも可能ではないかと考えたのである。

最後に、本書が完結してもなお残された課題を私に思い出させた野口武彦氏や家近良樹氏や岩下哲典氏らの学恩に、ほかならぬ野口氏の雅歌を引用させていただきながら、感謝を込めて蕪雑《ぶざつ》な文章を終わりたい。

何やらん忘れたものの隠れゐて思ひ出せとぞ迫る風景

（野口武彦『歌集　うつつの国』砂子屋書房）

（書き下ろし）

あとがき

——野口武彦氏の「『将軍の世紀』追評」によせて

この新書は、少し前に刊行された『将軍の世紀』の合わせ鏡のような性格を帯びることになった。江戸文学の専門家・野口武彦氏は『将軍の世紀』を「疲れ仕事」と呼んだが、その二回目の書評を、本書の校了寸前に氏の公式サイトに寄せられた（nghiko.com）。「史論・史観・史眼」という魅力的なタイトルを付した追評は、この新書のモチーフと共通している点もあるので、氏の追評に対して感謝とともに感想を述べさせていただきたい。

野口氏は、『将軍の世紀』の特徴として、第一に「豊富な外国関係文書の活用」があり、第二に政治家たちの「公生活の記録」のみならず、日常の記録・メモランダム、「ゴシップめいた私事・小事・秘事のたぐいのあくなき繙読《はんどく》」を挙げている。さらに、「ちょっと見」では遠く離れて無関係そうな大名家記・権臣の政務記録・手控え雑記その他の「援用がたくみである」。その結果、「これらの個々の記述を読み合わせると、そこにはいわば補助線が引かれて、人物や出来事の関係が新たな遠近法のうちに現れ出る。事件や事象間相互の距離、内部のからくり、物事の嚙み合い方など、これまで朧《おぼ》ろにしか見えなかった幕末日本の全体構図がくっきり見えて来るのである」。

　まことにありがたい御指摘である。この方法は、歴史家の個人研究として、現代世界の全体構図をとらえるためにも有効なはずである。しかし、現代史や現代政治の研究領域ではあまりにも膨大な情報量と多言語の資料を個人ではすぐ咀嚼《そしやく》できないために、そのまま応用できないのは残念なことだ。野口氏による『将軍の世紀』の講評はさらに続く。

「こうした広範囲にわたる博引旁証、慎重な文献批判、相互照合の結果、幕末日本の進路を左右した諸事件はいくつも異なる角度から照らし出され、以前には隠されていた相貌を晒すことになる。人物と事件とを結んでいた思いがけぬリンクが突然見えて来て、歴史がなぜあの時ああ急速に旋回したのか、〈不思議の勝ち〉あるいは〈不思議の負け〉といった番狂わせがなぜ生じたのか、が問い直される」。そして野口氏は、「こうした問いかけの事例は特にもろもろの情勢（＝conditions 諸条件）が束状に寄り重なる」ような一四代将軍家茂の治世の叙述から目立って多くなるとして、次のように示唆的な指摘を寄せる。

「まだ十分探索され切っていない歴史の薄暗がりに潜む未解決の謎の結節点がいくつもあるのだが、それらは氏（山内）にあっては、そこから内部に分け入って複雑に絡んだ糸目を解きほぐすべき綻《ほころ》び口なのである」

「綻び口」とはまことに巧みな表現である。確かに、寺田屋事件と生麦事件の内部連関を考えた時の視座は、私にとって、まさに現代のウクライナ戦争とシリア戦争に関与するロシアやイランの政治家のリーダーシップを考える私の見方と通底しているかもしれない。

このあたりについても、野口氏は興味深い知見を示してくれた。

「といっても、（島津）久光の隠れた野望――極論すれば、徳川幕府に替わる島津幕府の樹立というような権力意志――が幕末情勢に底流する動力源であったとする単線的な史論はこの著者（山内）の取る所ではない。今ここにあるのは、一つの権力意志が他者と衝突し、せめぎ合うダイナミックな〈場〉であり、その意欲は他者との摩擦のうちに少なからず妥協変形せざるを得ない現実である。久光とその股肱《ここう》たち――寺田屋事件・生麦事件に共通する当事者――が、みな開国と攘夷の両極の間に揺れるのはそのためだ。著者の史眼が光るのは、これら外見では矛盾撞着でしかない屈折した心情の奥で蠢《うごめ》いている関係者の真情を複眼的に見通していることであろう。そして氏（山内）は、この両事件を合わせ鏡のようなレンズにして久光という人物の真姿に迫ったのと同じ方法を用いて、身分や立場こそ違え、同一の〈場〉に轡《くつわ》を並べていた何人かの有為の人物に論じ亘《わた》ろうとしていたかに見受けられる。名前だけ列挙しておけば、大久保一蔵、原市之進、小松帯刀」

私の久光観は氏の指摘からさほど遠いものではない。『将軍の世紀』を人物論としても考えた私の視角からすれば、こみいったウクライナとシリアの戦争を複合的に理解するために、暗殺されたイラン革命防衛隊司令官スレイマニ将軍、チェチェン共和国首長カディロフ、ワグネル・グループのプリゴジンなどに一本の補助線を引いて時代の構造を考えるはずだ。

いずれにせよ、私が「歴史への畏《おそ》れ」と呼ぶ内容についても、野口氏は細緻な解釈を試みてくれた。「人間の歴史の大きな節目をなす政治闘争は、最後には権力闘争に圧縮され、権力闘争はけっきょく人事抗争に帰着し、究極は個々人の人間性がナマでぶつかり合う。著者（山内）が好んで口にする〈歴史への畏れ〉とは、時として歴史の表面に発露する超人間的な意志・真情・決断などから発するオーラに対して発される畏怖の念だろう」。

この人間観はそのまま『リーダーシップは歴史に学べ』の人間模様に通じるものが多い。もとより、政治におけるリーダーシップの在り方は、歴史の知識にどれだけ通じ、いかほどの教訓を学んだとしても、とどのつまりは西洋の先人たちが述べた「神の見えざる手」や「理性の狡知《こうち》」あるいは「歴史の偶然」といった領域に委《ゆだ》ねざるを得ない。しかし、私たちは、「さまざまな歴史書を読みこなし、その内容を比較対照すること」の重要性を強調したポリュビオスの教えに謙虚であることはできるだろう（『歴史』3、12巻）。

いまの私は、『増鏡』や『ローマ帝国衰亡史』などの史書について楽しく語りあい、私に日本近世史の講義と執筆を勧められた『陸奥宗光』の著者・故岡崎久彦氏の御《ご》誘掖《ゆうえき》に改めて感謝したいのである。また、面識のない私の著書に、二度も懇切な批評の文を草された野口武彦氏の御厚意には御礼の言葉もない。その広角度の切り口と恐るべき教養の広がりには驚嘆するほかなかった。加えて御援助を受けたトランスコスモス財団にも感謝申しあげる。この新書はもともと『リーダーシップと歴史』という題名を付けていたが、最終的に『リーダーシップは歴史に学べ』と変えることになった。今では、題名に動きもあり、躍動感もあってなかなかに気にいっている。変更を提案されたのは、文藝春秋取締役の新谷学氏である。氏のセンスに敬意を表したい。そして、この新書がなにがなし『将軍の世紀』の弁明の書もしくは言い換えの書になることにも寛大だった文藝春秋・編集委員の前島篤志氏と稲田勇夫氏には、末尾ながら心から御礼を申し上げておきたい。

令和五年八月　誕生日を前に

山内昌之

山内昌之（やまうち　まさゆき）

1947年、札幌市生まれ。北海道大学大学院博士課程を中退、東京大学で学術博士を取得。現在、東京大学名誉教授、ムハンマド五世大学特別客員教授、武蔵野大学客員教授。また、富士通フューチャースタディーズ・センター（FSC）特別顧問、アサガミ顧問、KIZASHI顧問、横綱審議委員会委員長なども務める。専攻は国際関係史。カイロ大学客員助教授、ハーバード大学客員研究員、トルコ歴史協会研究員なども歴任。紫綬褒章、司馬遼太郎賞、毎日出版文化賞（2回）、吉野作造賞、サントリー学芸賞、在京アラブ外交団永年貢献表彰などを受ける。主要著書に、『オスマン帝国とエジプト』（東京大学出版会）、『スルタンガリエフの夢』（東京大学出版会・岩波現代文庫）、『岩波イスラーム辞典』（共編、岩波書店）、『中東国際関係史研究』（岩波書店）、『大日本史』（共著、文春新書）、『将軍の世紀』上下（文藝春秋）など。

文春新書

1426

リーダーシップは歴史《れきし》に学《まな》べ

2023年9月20日　第1刷発行

著　者　山　内　昌　之

発行者　大　松　芳　男

発行所　株式会社　文　藝　春　秋

〒102-8008　東京都千代田区紀尾井町3-23

電話（03）3265-1211（代表）

印刷所　理　想　社

付物印刷　大　日　本　印　刷

製本所　加　藤　製　本

定価はカバーに表示してあります。

万一、落丁・乱丁の場合は小社製作部宛お送り下さい。

送料小社負担でお取替え致します。

ISBN978-4-16-661426-4